MONSTROPOLY

MONSTROPOLY

**Texte et illustrations
de
Richard Petit**

Les presses d'or

MERCI!

À Danielle, Jean-Luc, Isabelle, Diane, Josée,
Éric, Paul, Ronald et tous les Téméraires...

TOI!

Tu fais maintenant partie de la bande des
TÉMÉRAIRES DE L'HORREUR.

OUI! Et c'est toi qui as le rôle principal dans ce livre où tu auras bien plus à faire que de tout simplement... LIRE. En effet, tu devras déterminer toi-même le dénouement de l'histoire en choisissant les numéros des chapitres suggérés afin, peut-être, d'éviter de basculer dans des pièges terribles ou de rencontrer des monstres horrifiants.

Aussi, au cours de ton aventure, lorsque tu feras face à certains dangers, tu auras à jouer au jeu des **PAGES DU DESTIN...** Par exemple, si dans ton aventure tu es poursuivi par une espèce de monstre répugnant et qu'il t'est demandé de TOURNER LES PAGES DU DESTIN afin de savoir si ce monstre va t'attraper, la première chose que tu dois tout de suite faire, c'est de placer ton doigt tout tremblotant ou un signet à la page où tu es rendu. Ensuite, SANS REGARDER, tu fais glisser ton pouce sur le côté de ton Passepeur en faisant tourner les feuilles rapidement pour finalement t'arrêter AU HASARD sur l'une d'elles.

Maintenant, au bas de la page de droite, il y a plusieurs petits pictogrammes. Pour savoir si le monstre t'a attrapé, il n'y en a que deux qui te concernent, celui de l'espadrille et celui de la main.

Pour le moment, tu ne t'occupes pas des autres, ils te serviront dans d'autres situations ; je t'explique tout un peu plus loin.

Comme tu as peut-être remarqué, sur une page il y a une espadrille, et sur la suivante, il y a une main et ainsi de suite, jusqu'à la fin du livre. Si par chance, en tournant les pages du destin, tu t'arrêtes au hasard sur le pictogramme de l'espadrille, eh bien bravo, tu as réussi à t'enfuir. Là, retourne au chapitre où tu étais rendu, il t'indiquera le numéro de l'autre chapitre où tu dois aller pour fuir le monstre. Si tu es le moindrement malchanceux et que tu t'arrêtes sur le pictogramme de la main, eh bien, le monstre t'a attrapé ; là encore tu reviens au chapitre où tu étais, mais tu auras par contre à te rendre au chapitre indiqué où tu tomberas entre les griffes du monstre.

Lorsqu'on te demandera de TOURNER LES PAGES DU DESTIN, tu n'utiliseras, selon le cas, que les DEUX pictogrammes qui concernent l'événement. Voici les autres pictogrammes et leur signification...

Pour savoir si une porte est verrouillée ou non :

 Si tu tombes sur ce pictogramme-ci, cela signifie qu'elle est verrouillée;

 Si tu t'arrêtes sur celui-là, cela signifie qu'elle est déverrouillée.

S'il y a un monstre qui regarde dans ta direction :

 Ce pictogramme-ci veut dire qu'il t'a vu;

 celui-là veut dire qu'il ne t'a pas vu.

De plus, en grande première, tu trouveras dans ton Passepeur, UN VRAI JEU D'ADRESSE...

Dans le bas des pages de gauche se trouve une bille. Plus tu t'approches du centre du livre et plus la bille se rapproche du trou. Lorsque dans ton aventure, il t'est demandé d'essayer d'envoyer cette bille dans le trou, il te suffit de tourner rapidement les pages de ton Passepeur en essayant de t'arrêter juste au milieu du livre. Si tu réussis à t'arrêter sur une des six pages centrales portant cette image :

eh bien bravo! Tu as réussi à envoyer la bille directement dans le trou, et tu remportes la partie...

Maintenant, tu es prêt! Ton aventure débute au chapitre 1. Et n'oublie pas : une seule finale te permet de terminer... ***Monstropoly.***

«48, 49... 50! PRÊTS, PAS PRÊTS, J'Y VAIS, cries-tu, blotti dans un coin, le visage enfoui dans le creux de ton bras. CACHÉS OU NON, LE JEU COMMENCE...»

Tu tournes la tête rapidement vers la salle principale du bâtiment, encombrée de grosses machines poussiéreuses et désuètes. Personne en vue. Depuis que la vieille fabrique de jouets abandonnée de monsieur Tong n'est plus surveillée par deux redoutables dobermans noirs aux dents pointues, elle est devenue le meilleur endroit pour jouer à cache-cache. Tous les jeunes du quartier le savent. Huit étages, un labyrinthe d'escaliers ne menant nulle part et une multitude de pièces grandes à n'en plus finir, c'est vraiment débile de voir à quel point on peut chercher longtemps ses copains dans ce gigantesque édifice de briques rouges aux fenêtres brisées.

En tout cas, en ce qui te concerne, tu t'amuses vraiment. C'est peut-être aussi parce que tu réussis presque toujours à trouver tout le monde, peu importe où ils se planquent. Par contre, tes amis commencent à trouver cela pas mal agaçant. Personne ne t'échappe. C'est comme si tu avais un don ou quelque chose de spécial en toi: «un radar dans la tête».

C'est un peu pour cette raison que Jean-Christophe et Marjorie t'ont proposé de faire partie de leur bande de chasseurs de fantômes... LES TÉMÉRAIRES DE L'HORREUR. Ici, dans le quartier Outremonstre, t'as plus de chance de mourir de peur que d'ennui, car ce ne sont pas les phénomènes étranges qui manquent. À vous trois, vous réglez le cas des fantômes et des monstres qui hantent le quartier.

En te dirigeant vers l'escalier, tu t'arrêtes devant cette pièce à demi remplie de balles de caoutchouc, où vous vous êtes faits si souvent des guerres incroyables. Il y en a peut-être un qui s'y est caché. Comme tu l'as fait l'autre jour. Tu t'étais enfoui sous ces milliers de balles de plastique, et personne n'avait réussi à te trouver.

Tandis que tu fouilles la pièce en balayant des mains les balles, **ZOOOUUUU!** un bruit très étrange provient de la cage d'escalier. Tu tends l'oreille... ÇA VIENT D'EN BAS!

«Non! ce n'est pas vrai... t'exclames-tu soudain, angoissé. Ils sont fous! Ils se sont hasardés au sous-sol. Ils ont oublié toutes ces choses inquiétantes qu'on raconte sur cet endroit.»

Ça c'est passé il y a plusieurs années. Il paraîtrait qu'un certain soir où un violent orage sévissait, le contremaître a quitté son boulot après une dure et longue journée de travail. Avant de partir, il aperçut monsieur Tong, le proprio de la fabrique, qui descendait les escaliers conduisant au sous-sol où se trouve l'entrepôt. Comme toujours, ils se sont salués. Monsieur Tong n'a jamais été revu par la suite. Il disparut sans laisser de traces. À partir du lendemain, l'accès au sous-sol a été interdit à tout le monde. Les jours ont passé et il y a eu des bruits étranges et quelquefois même, on a entendu des hurlements effroyables. Dans les semaines qui ont suivi, les employés trop apeurés ont quitté l'usine les uns après les autres, et elle a été laissée à l'abandon depuis.

Prudemment, tu étudies les marches poussiéreuses de l'escalier. Il y a des traces d'espadrilles. Tes craintes sont bien fondées : Marjorie, Jean-Christophe et Audrey sont vraiment descendus à la cave...

Les mains solidement ancrées à la rampe, tu te penches au-dessus du vide. Tandis que tu scrutes la pénombre, la rampe de l'escalier se met à vibrer, et un violent grondement retentit. **BRRRRRRRR!** Les murs tremblent, et quelqu'un pousse un cri...

AAAAAAAAAAAAAH!

N'étant pas du genre à rester planté comme un âne, tu t'engouffres sans attendre dans la pénombre de la cage d'escalier jusqu'à l'entrepôt, au chapitre 5.

2

Tu pousses ton pion jusqu'à la case qui comporte selon toi le moins de danger : celle du sablier.

Les secondes passent sans que rien ne se produise. Pas de tornade de fumée ni de mains horribles qui te tirent au fond des abîmes enflammés et périlleux du jeu. Soulagé, tu expires un bon coup et tu tends la main vers Marjorie pour lui remettre les dés. Elle reste là, immobile. Les yeux tout ronds, elle fixe le jeu Monstropoly.

Tu baisses la tête et tu constates qu'un visage vient de se matérialiser au centre du jeu. Tu n'oses même pas prendre tes jambes à ton coup, car tu sens que les yeux tout blancs et sans pupilles de ce terrifiant visage sont braqués sur toi. De la fumée violacée jaillit de ses narines.

SHHHH! SHHHHHH!

«Je suis Zardon, le maître du jeu, annonce le visage bleuté d'une voix ténébreuse qui résonne partout. Je suis celui qui peut rendre votre vie… BEAUCOUP PLUS INTÉRESSANTE! Mais tout d'abord, vous devez me prouver votre valeur. Si vous réussissez à envoyer cette bille dans le trou situé tout au fond de la fabrique, je ferai un marché avec vous. Ce marché consistera, en premier lieu, à vous confier une mission. Si cette mission est accomplie avec succès, Zardon vous aidera à terminer la partie et conjurera le mauvais sort qui pèse sur votre amie.

— Et si je rate mon coup?» lui demandes-tu.

Avec un rire diabolique HAA! HA! HA! Zardon ajoute :

«Eh bien là, nous devrons nous contenter de jouer une petite partie de cache-cache, dont l'enjeu ne serait rien d'autre que ce que vous possédez déjà... VOTRE VIE! J'ai pris la liberté de faire ériger trois pierres tombales à votre nom dans le cimetière Fairele- mort de Sombreville; parce que, voyez-vous, à ce jeu, je fais tout pour gagner, car je... DÉTESTE PER- DRE!»

Vous vous regardez, tous les trois, en vous disant que ni l'une ni l'autre de ces perspectives ne vous enchante.

«Lance cette bille et prouve ton adresse, grogne le maître du jeu...TU N'AS PAS LE CHOIX!»

Maintenant, TOURNE LES PAGES DU DESTIN et vise bien...

Si tu réussis à lancer la bille dans le trou, va au chapitre 47 afin de prendre connaissance du marché que Zardon veut te proposer.

Si par contre, tu ne réussis pas à atteindre le trou, cherche au chapitre 17 un bon endroit où vous cacher. VITE! le maître du jeu a déjà commencé à compter : 4,5,6...

3

«MANQUÉ! s'écrie-t-il en lançant un signal au château avec son épée. VOUS N'ÊTES DONC QUE DES IMPOSTEURS...»

Aussitôt, un bruit de chaînes se fait entendre.

CLING! CLING! CLING!

Le pont-levis s'abaisse sur les douves **BANG!** et en moins de temps qu'il n'en faut pour dire «ragoût de vampire», quatre soldats armés vous encerclent.

«Nous ne sommes ni des voleurs, ni vos ennemis, tente d'expliquer Jean-Christophe. Nous étions tout bonnement en train de jouer à un jeu idiot et...

— SILENCE! crache un des gardes. Nous avons trois cachots humides à remplir, et autant de fauves à nourrir.»

Une hallebarde pointée dans le dos, tu traverses le pont-levis. Tu sais bien que lorsque vous l'aurez franchi, vos chances de vous échapper seront quasi nulles. Tu jettes un coup d'oeil au fond des douves. Tu pourrais mettre à profit tes cours de plongeon, mais c'est beaucoup trop haut. De plus, cette mare d'eau verte qui tourne autour du château depuis des siècles doit être pleine de sangsues, et peut-être même de crocodiles...

Vous n'avez pas d'autres choix que de suivre les soldats jusqu'aux souterrains du chapitre 55, où se trouvent vos cellules obscures.

Les deux fantômes avancent vers vous... ILS VOUS ONT VUS!

Tu regardes partout autour : pas moyen de fuir.

«Foutu jeu! grognes-tu tout bas. Chaque coup joué produit un événement dangereux.

— Nooouuus sommes les esprits des morts, dit soudainement une voix nasillarde, qui ressemble à quelqu'un que tu connais. Sortez! nooouuus voulons seulement nous repaître de votre délicieuse chair...

— Ce sous-sol sera votre tombeau, ajoute l'autre fantôme d'une voix enrouée. HA! HA! HA!»

Vous entendez de la musique rap jouer en sourdine.

«HMMMM! réfléchit Marjorie. Y'a quelque chose qui cloche.

— J'crois que ça provient d'un baladeur!» s'exclame Jean-Christophe.

La seule façon de le savoir, c'est de vous rendre au chapitre 8. Si vous en avez le courage, bien sûr...

Tu es un Téméraire de l'horreur. Tu prends donc

une grande respiration et tu descends à la cave pour leur porter secours.

Arrivé en bas, tu t'emmêles dans une multitude de toiles d'araignées, collées du plafond au plancher. Plus tu avances, plus il fait noir. À tâtons, tu avances lentement. Plus loin, des lueurs apparaissent. Tu accélères le pas; ce sont des bougies. Leurs flammes dansent autour de tes trois amis, agenouillés sur le sol devant un étrange jeu.

Jean-Christophe soulève lentement le bras, et pointe Audrey du doigt. Tu te tournes vers elle. Tu sursautes et tu serres les lèvres pour retenir un cri d'horreur. Audrey a été transformée en... STATUE DE PIERRE!

«Ne te fâche pas, commence Marjorie. Nous voulions tout simplement nous amuser avec ce drôle de jeu que nous avons trouvé dans ce vieux coffre-fort.

— C'était au tour d'Audrey de jou-jouer, continue Jean-Christophe en bafouillant. Elle a lancé les dés, et c'est au moment où elle a déplacé son pion que c'est arrivé...»

Tu t'approches d'Audrey. Tu n'en crois pas tes yeux. Son visage, triste, est figé dans la pierre. Tu poses la main sur son épaule terriblement froide.

«Est-il trop tard pour la sauver?» t'interroges-tu. Tu lis ce qu'il y a d'écrit sur la case où est posé le pion de Marjorie : De pierre tu demeureras tant et aussi longtemps que la partie se poursuivra...

«On n'a guère le choix! leur fais-tu remarquer, résigné. Nous devons jouer à ce jeu sordide et terminer la partie.

— TU RIGOLES! proteste Jean-Christophe. Ouvre les yeux, et regarde ce qu'il lui est arrivé. J'veux pas finir comme elle...

— Les Téméraires ne sont pas des poules mouillées, et puis c'est la seule chance que nous avons de la sauver, insistes-tu. Nous devons, tous les trois, jouer jusqu'à la fin, peu importe ce qui arrive aux autres. Moi, je jure d'aller jusqu'au bout. Un de nous trois doit à tout prix remporter la partie et survivre à ce jeu. Car si j'ai bien compris les règles, c'est seulement à ce moment-là qu'Audrey reprendra vie.»

Agenouillé entre Audrey et Marjorie, tu saisis le pion en forme de petit cercueil et tu le poses bruyamment sur la case «départ» **BANG!** Selon les règles du jeu, l'honneur de lancer les dés le premier revient au nouveau joueur; donc, à toi de jouer...

Sans hésiter, tu prends les curieux dés: au lieu d'avoir des petits points noirs sur chacune de leurs faces, se sont des yeux. TU LES LANCES! Ils roulent sur le jeu **CLOC! CLOC! CLOC!** puis s'arrêtent...

HUIT! Tu avances ton pion jusqu'à une case portant un symbole fléché pointant dans toutes les directions. La partie s'annonce bien, car tu peux non seulement choisir la direction à prendre, mais aussi la distance à parcourir.

Rends-toi au chapitre 11 où se trouve le jeu Monstropoly afin de choisir la case sur laquelle tu veux déplacer ton pion.

Vous traversez le couloir et vous descendez un escalier. Tout en bas, vous arrivez à la porte de l'armurerie... ENFIN! Tu colles l'oreille sur une des planches. Pas de rugissement : jusqu'ici, ça va. Alors, tu glisses la grosse clé dans la serrure et tu ouvres doucement la porte pour t'assurer que vous êtes au bon endroit.

CRIIIIIIIIIIIIIIII!

«Ouf! Ce n'est pas la fosse aux lions, te réjouis-tu. Entrons, c'est bien l'armurerie...»

Pendant que tu te cherches une hallebarde pas trop lourde parmi les armes de toutes formes et de toutes tailles, Jean-Christophe fait deux fois le tour de la rangée d'armures avant d'en trouver une qui lui convienne.

«J'aime pas du tout les armures, se lamente Marjorie qui se contorsionne pour enfiler sa cotte de mailles. Et puis, le fer rouillé n'est plus à la mode depuis des siècles...

— Tu as raison! Et en plus, ces fringues de métal sont si lourdes», se plaint Jean-Christophe tout revêtu de sa cuirasse.

CHLING!

Tu te retournes vers lui, et tu te tords de rire aussitôt...

CHLING!

Il a les jambes écartées pour garder son équilibre, et tu n'aperçois que ses deux yeux brillants par la fente de sa visière. Elle ne tient pas en place; elle tombe sans cesse et lui cache le visage.

CHLING!

«Je savais que j'aurais l'air complètement ridicule, râle-t-il à travers le ventail de son armet. Avec cet accoutrement, j'ai plus de chance de faire mourir le dragon de rire que de le battre dans un combat singulier.

— On n'a pas vraiment le choix, lui rappelles-tu. Inutile de préciser que ce ne sont pas nos t-shirt et nos jeans qui pourront nous protéger contre le feu.»

Vous vous emparez chacun d'une arme et d'un bouclier avant de vous diriger vers l'écurie. Dans les hennissements de vos trois chevaux, vous galopez ensuite jusqu'au chapitre 18.

7

Soudain, tu te retrouves dans une ruelle obscure, la tête dans une poubelle avec un morceau de pomme de terre entre les dents. Tu l'avales avec gloutonnerie, OUACHE! En remuant... TES MOUSTACHES, tu cherches à comprendre ce qui se passe!

D'où proviennent ces poils qui se balancent au bout de ton nez? Avec une agilité étonnante, tu sautes d'un couvercle de poubelle à un autre, puis d'une boîte jusqu'au sol. C'est facile, en fait, avec cette LONGUE QUEUE... Tu t'approches d'une flaque d'eau qui s'écoule d'une gouttière. Ton propre reflet ne peut mentir... TU ES DÉSORMAIS UN RAT!

Tu essaies de crier à l'aide, mais tu ne peux pas; tu oublies qu'un rat ne parle pas. Que faire? Te rendre chez toi et tenter de faire comprendre à tes parents ce qui se passe? PAS QUESTION! Ta mère te chasserait à grands coups de balai, avant que tu puisses mettre une patte dans la maison. Tu n'as qu'une seule option... RETOURNER À LA FABRIQUE!

Au moment où tu arrives au bout de la ruelle, une ombre arrive silencieusement, et te barre la route. OH ! OH! Tu recules nerveusement. Les phares d'une voiture font briller les yeux verts de la bête qui se trouve devant toi... UN GROS CHAT NOIR!

Tu dois t'enfuir! Mais par où?

Par le chapitre 88.

Une odeur familière te passe sous le nez...

«Ma foi! On se moque de nous, t'exclames-tu en reconnaissant cette odeur. C'est de la fumée de cigarette, ça!»

Tu te relèves d'un bond. Les deux silhouettes avancent toujours. La fumée t'obstrue un peu la vue, mais tu reconnais tout de même les visages de J.M. et Prout : les deux terreurs de l'école.

GLOUB! tu ravales difficilement ta salive.

J.M. est le seul garçon du troisième secondaire que tu connais à avoir de la barbe. Il ne craint personne. Il en fait baver à tout le monde celui-là, même au prof. Du moment que c'est rigolo et que ça attire l'attention. Mais ses jours son comptés, car une autre connerie, et il est expulsé de l'école.

L'autre, c'est le plus déplaisant des deux. Dans le quartier, on le surnomme Prout, comme ça, sans raison. Cela n'a pas rapport avec une certaine flatulence, contrairement à ce que beaucoup pensent. On dit qu'il fait des fautes d'orthographe même en écrivant son nom. À l'école, il est toujours sur ton dos.

Ils approchent de vous avec leur air méchant habituel...

Va au chapitre 92.

Vous essayez de sortir par la porte, mais malheur... le génie vous a aperçus. Il s'élance, fend l'air, et vous rattrape facilement. Vous vous serrez l'un contre l'autre.

«TRICHEURS! tonne le génie, rouge de colère. C'est interdit de quitter le jeu au beau milieu d'une partie. Vous avez trois souhaits à formuler. FAITES LE PREMIER! vous ordonne-t-il...

— PAS RAP! s'écrie Jean-Christophe. Tu n'es qu'un fichu menteur. Tu vas tout foutre à l'envers comme tu as fait avec notre amie. Avec toi, on ne sait pas ce qui va nous tomber sur la tête.

— Vous n'avez qu'à formuler votre vœu clairement, vous explique-t-il. C'est pourtant simple!»

Tu réfléchis quelques secondes...

«D'accord! acceptes-tu. Pour mon premier vœu, je souhaite retourner dans le passé. Juste avant que tu ne transformes mon amie Audrey en statue de pierre, lui précises-tu en ne le quittant pas des yeux.

— OUI MAÎTRE!» raille-t-il. Il plonge la main dans la bourse accrochée à sa ceinture brodée, en ressort une poignée de poudre scintillante et la jette sur vous.

Lorsque la poudre atteint le sol, tout se met à trembler autour de vous **BRRRRRRRRR!** Une grosse fissure se crée à vos pieds. Vous bondissez pour vous en éloigner, mais vos pieds glissent dans la

faille. Vous essayez de vous agripper, mais en vain...
VOUS TOMBEZ!

NOOOOOOOOOOON!

Tous les trois, vous vous enfoncez dans les profondeurs du chapitre 12.

10

Tremblotant, tu prends le flacon et tu bois une bonne rasade.

GLOUB!

La réaction se fait immédiatement ressentir. Tu deviens vert et tu te mets à trembler. De grosses pustules apparaissent partout sur ton corps!

Marjorie attrape un gros tube de crème et t'en met une couche épaisse sur les bras. L'application n'a aucun effet et, comme Cricri, le hamster des jumelles Nadeau, tu te transformes en un gros bloub dégoutant. Le liquide que tu as ingurgité a modifié ton ADN.

Maintenant, tu es devenu trop horrifiant pour habiter avec les humains. Si tu veux continuer à vivre, tu n'as plus le choix : tu dois rejoindre Cricri dans les égouts... POUR LE RESTE DE TA VIE!

FIN

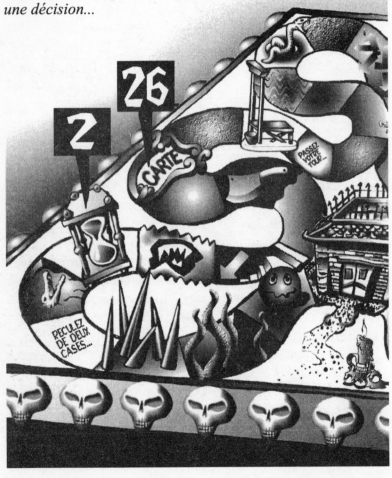

Maintenant, *si tu as du cran, choisis une case et rends-toi au chapitre indiqué sur celle-ci. VITE! Prends une décision...*

12

Vous vous réveillez. Vous êtes revenus en arrière de combien de temps? Plusieurs minutes? Des heures? Tu clignes des yeux plusieurs fois. Autour de vous, il fait plutôt sombre. Un gros homme poilu, habillé d'une peau de léopard, massue à la main, avance vers vous en se grattant la tête. Il ne semble pas apprécier votre présence. C'est un homme de Cro-Magnon. Le génie vous a bien ramenés dans le passé mais... DIX MILLE ANS DANS LE PASSÉ!

L'homme préhistorique soulève sa massue et marmonne quelque chose d'incompréhensible : «REUH GLGL!». D'un bond arrière, tu réussis de justesse à éviter son arme qui s'abat sur le sol.

BOUM!

Deux autres grands types poilus, au dos courbé, qui dormaient près d'un feu, arrivent droit sur vous. Vous foncez vers la sortie... Réussirez-vous à vous enfuir?

Pour le savoir, TOURNE LES PAGES DU DESTIN.

Si, par malheur, ils ont réussi à vous attraper, vous vous retrouvez au chapitre 64.

Si, par une chance incroyable, vous avez réussi à vous enfuir, allez au chapitre 28, VEINARDS!

13

Tu décides d'aller sur la case où est inscrit le chiffre «13».

Au moment où tu t'apprêtes à déplacer ton pion, il glisse de lui-même sur le jeu jusqu'à la case...

SHHHHHH!

«Quelque chose d'étrange m'arrive, murmures-tu. On dirait que Monstropoly peut lire dans mes pensées.

— Fais un test, suggère Marjorie. Pense à quelque chose, n'importe quoi...»

Tu fermes les yeux et tu songes au gâteau double-chocolat que ta mère t'a servi après le dîner.

Un sandwich moutarde apparaît instantanément entre tes mains, grouillant de vers de terre. Pouah! tu le jettes au loin...

Tu essaies de ne penser à rien, mais c'est impossible. Tu regardes les taches de rousseur autour du nez de Marjorie. Oui, comme c'est joli, puis tout de suite, sur son visage apparaissent de gros boutons pleins de pus, qui se mettent à éclater les uns après les autres.

«PRENDS LES DÉS ET LANCES-LES! hurles-tu à Jean-Christophe. Vite, faites cesser ce cauchemar...

— J'PEUX PAS JOUER : LES DÉS SONT COLLÉS SUR LE JEU! crie-t-il. TON TOUR N'EST PAS TERMINÉ...

— UNE CARTE! te rappelles-tu, soudain. J'ai oublié de piger une carte...»

Immédiatement, tu piges une carte dans le paquet. Avant que tu ne puisses la lire, elle se change en bille.

«Tu dois lancer cette bille dans le trou qui se trouve tout au fond de l'entrepôt, dit une voix caverneuse qui semble provenir du jeu même. Prouve ton adresse et tout s'arrêtera...»

TOURNE LES PAGES DU DESTIN et vise bien...

Si tu réussis à lancer la bille en plein dans le trou, rends-toi au chapitre 20, et ton tour sera enfin terminé.

Si par contre, tu manques ton coup, va au chapitre 7. Ta malchance se poursuit, car un gros chat noir t'attend...

14

Vous essayez de sortir par une des fenêtres, mais vous êtes incapables de l'ouvrir; elle est solidement soudée par les couches de peinture. Vous vous tournez face aux p'tits fous sanguinaires.

Ils approchent tous les trois, langue pendante, yeux rouges exorbités. Ton coeur se met à battre la chamade...

Tout frémissant de frayeur, tu cherches quelque chose qui pourrait te servir de bouclier, mais il n'y a rien... RIEN!

Un des garçons lève son couteau d'un geste lent...

Pris entre le réfrigérateur et la cuisinière, tu fermes les yeux. Alors que tu te prépares au pire, quelqu'un hurle :

«COUPEZ!»

Puis, soudain, des mains apparaissent dans le coin de la pièce et les murs de la maison s'ouvrent sur un plateau de tournage rempli de projecteurs et de caméras.

«C'EST BIEN!» hurle le producteur dans son porte-voix.

Puis il porte à ses lèvres son gros cigare et s'approche de vous.

«C'est pas mal, les enfants, vous dit-il en soufflant un gros nuage de fumée au-dessus de vos têtes. Maintenant, préparez-vous, nous allons tourner la scène du cimetière.»

Tu te frottes les yeux en te demandant si tu n'as pas la berlue. Techniciens, éclairagistes et personnel de production s'affairent à changer le décor pendant qu'une meute de maquilleuses et d'habilleuses vous préparent pour la scène finale du film.

Tu n'as pas le temps de demander ce qui se passe, car le producteur crie de sa voix grave :

«SILENCE! ON TOURNE...»

Allez au chapitre 31.

Avant que tu puisses répondre quoi que ce soit, Marjorie plonge la main dans la poche de son jean, sort un bout de réglisse rouge et le tend au sorcier.

Mortdetrouille, croyant détenir enfin l'ingrédient final, saisit le morceau de réglisse du bout de ses longs ongles noirs.

«Messagers, de quel pays lointain provient donc cette substance molle? demande le sorcier.

— D'une contrée très éloignée appelée : SU-PERMARCHÉ», répond Marjorie.

Jean-Christophe est sur le point d'éclater de rire.

«Je ne connais pas cette ville appelée SUPER-MARCHÉ», marmonne Mortdetrouille.

Le sorcier coupe le morceau de réglisse en deux; il en jette une moitié dans le chaudron, qui se met tout à coup à chuinter. Tu sais bien que la réglisse est tout à fait inoffensive, sauf que le mélange de deux substances provenant de deux mondes différents... PEUT AVOIR DE GRAVES CONSÉQUENCES!

Il n'y a qu'une façon de sortir de cet endroit, et c'est par cette lourde porte. Vous l'empruntez sans hésiter et sans savoir où elle vous mène. Une fois que vous êtes sortis, la porte se referme d'elle-même. **BLAM!** Vous vous apercevez trop tard que la petite pièce circulaire dans laquelle vous vous trouvez est sans issue... C'EST UNE OUBLIETTE! Mais vous n'êtes peut-être pas au bout de vos peines, car maintenant, il se pourrait que la porte soit verrouillée. Si

elle l'est, vos corps pourriront ici pour l'éternité...

*Pour le savoir, **TOURNE VITE LES PAGES DU DESTIN**.*

Si elle est verrouillée, quel malheur! Allez au chapitre 63.
*Si, par contre, elle n'est pas verrouillée, retournez dans l'antre du sorcier au chapitre 53. Faites vite, car **BOUM!** une explosion vient de faire trembler le sol et tous les murs du château...*

16

«Je dois réciter à voix haute toutes les lettres de l'alphabet! s'étonne-t-elle en lisant la carte. Et si j'en oublie une seule, une horrible créature, portant comme première lettre de son nom la lettre que j'aurai négligé de nommer, apparaîtra.

— Pas de problèmes, affirme Jean-Christophe, confiant. Tu peux faire ça sans en oublier une seule...

— Non, c'est pas aussi simple que tu le penses, le corrige-t-elle. Je dois les réciter... DANS LE DÉSORDRE!»

Marjorie prend une grande inspiration et commence...

«L, a, k, s, j, d, h, f, q, p, w, o, e, i, r, u, t, y, z, m, x, n, c, v et b, termine-t-elle...

— 25! gémit Jean-Christophe, qui comptait sur

ses doigts. T'en as oublié une!»

Un battement d'ailes résonne autour de vous. Vous vous levez tous les trois, prêts à partir en flèche.

«Peu importe ce que c'est, constate Marjorie : ça vole et ça tourne autour de nous.»

Soudain, lorsque tu aperçois la créature qui se précipite sur vous, tu la reconnais et tu t'écries :

— GARGOUILLE! t'écries-tu avant de te mettre à courir. T'as oublié le "g".»

Va-t-elle vous attraper? Pour le savoir, TOURNE LES PAGES DU DESTIN...

Si elle vous attrape, rends-toi au chapitre 43.
Si, par contre, vous êtes chanceux et qu'elle ne vous attrape pas, courez vite jusqu'au chapitre 90.

17

7,8,9...

«CASSONS-NOUS!», s'écrie Jean-Christophe.

Sans perdre une minute, vous courez vous cacher.

Soudain, tu entends un hurlement terrible. Un frisson de terreur te parcourt tout le corps.

OUUUUUUUUUUUU!

«Oh! Oh! Le maître du jeu a fini de compter, et il est maintenant à vos trousses, dit une petite voix dont tu ignores la provenance.

— QUOI? QUI?...», fais-tu en apercevant une tête sortir du mur de briques...

Petit à petit, trois silhouettes bleutées apparaissent et flottent vers vous... Tu peux voir au travers d'elles. Ce sont des... FANTÔMES! Acculé à un mur, tu t'immobilises.

Deux garçons et une fille vêtue d'une salopette. Ils ont l'air gentil et ils vous sourient.

«Qui êtes-vous? demande Jean-Christophe, les yeux tout grands.

— Je m'appelle Évelyne, répond la jolie revenante aux longues tresses blondes. Lui, le grand triste, c'est Clovis, et l'autre, c'est Bruno, mais nous préférons l'appeler Gigot..

— Nous voulons juste vous aider, dit le plus grand fantôme garçon. Nous allons faire équipe avec vous : trois équipes de deux. C'est la seule chance que vous ayez de gagner cette partie. Seuls, vous n'y parviendrez jamais.

— J'veux être avec elle! fait le petit fantôme grassouillet en pointant Marjorie du doigt. C'est quoi ton nom? demande-t-il en s'approchant d'elle.

— C'est pas de tes oignons! lui répond-elle sèchement. Hey! Hey! J'veux pas faire équipe avec ce p'tit gros, ajoute-t-elle en se tournant vers son frère.

— Tais-toi! J'crois qu'ils ont raison, réfléchis-tu. Si nous restons ensemble, Zardon va nous coincer facilement.

OOUUUUUUUUUU!

— *C'EST LUI! Il se rapproche! Prenons tous des directions différentes, explique la jeune revenante, et rejoignons-nous au chapitre 25.»*

18

Soudain, à l'orée du bois, les chevaux s'arrêtent, poussent des hennissements et donnent des coups de sabots dans le sable.

«Ils ne veulent plus avancer, ils ont peur, remarque Jean-Christophe. Le repaire du dragon ne doit plus être très loin.»

Vous descendez de vos montures, et elles

s'enfuient aussitôt, affolées.

Vous pénétrez lentement dans la dense forêt qui se dresse devant vous. Après quelques minutes de marche, vous arrivez dans une curieuse clairière où s'élèvent plusieurs monticules de terre d'où proviennent de curieux bruits....

CRITCH! CRITCH!

«Quelque chose bouge là-dessous», dis-tu à Jean-Christophe.

Pendant que vous écoutez les bruit bizarres, d'énormes mandibules sortent du trou. Marjorie, qui les a aperçues, pointe son doigt métallique en direction du monticule.

Quelle vision! Une armée de fourmis rouges géantes jaillissent de leurs immenses nids et se lancent à vos trousses... Si ces insectes vous attrapent, ça ne sera pas beau à raconter ou à voir, car leurs énormes mandibules peuvent facilement vous... COUPER LA TÊTE!

CLAC!

Vous tournez tous les trois les talons et vous foncez...

Vont-elles réussir à vous attraper? Pour le savoir,
TOURNE LES PAGES DU DESTIN.

Si elles vous attrapent, allez au chapitre 58.
Si vous avez réussi à vous enfuir, décampez jusqu'au chapitre 39.

«Ces pantins devaient faire partie de la collection personnelle de jouets de monsieur Tong, penses-tu. C'est pas possible de ramasser de telles horreurs.»

Tu examines les pantins à nouveau et tu remarques que quelque chose cloche. Serais-tu en train de perdre la boule? Peut-être pas, car il te semble que quelque chose a changé! OUI, MAIS QUOI?

Observe bien cette nouvelle illustration; elle est différente de la précédente. Si tu réussis à trouver en quoi elle diffère, fuyez jusqu'au chapitre 76 et vous vous éviterez un tas de problèmes. Si, par contre, tu ne découvres pas les différences, il serait bon pour vous de faire vos prières avant d'aller au chapitre 40.

20

La bille tourne lentement sur le bord, s'arrête, puis tombe dans le trou. Tu as réussi!

C'est maintenant à Marjorie de jouer. Elle lance les dés et avance son pion de quatre cases.

Instantanément, une étrange vapeur mauve jaillit de la planche de jeu *SHIIIIIIIIII!* et se met à tourbillonner au-dessus de vos têtes. Vous vous sentez soulevés dans les airs.

Tu essaies de t'agripper à quelques chose, mais tu en es incapable. Tu tournes et tournes encore… Marjorie t'attrape à bras le corps. Vous vous sentez disparaître. Vous vous rematérialisez au beau milieu de la rue principale de Sombreville.

Étourdi et les cheveux défaits, tu regardes partout pour essayer de comprendre ce qui vient de se passer. Il fait nuit noire. L'horloge de la mairie indique minuit tapant, mais elle ne sonne pas. Tu sens qu'il y a quelque chose d'anormal…

Sous la faible lumière d'un réverbère, un petit garçon avance vers toi. Il sourit méchamment. Son regard est si froid qu'il te fait frissonner. Il approche lentement, les mains derrière le dos. Il cache quelque chose, mais quoi? Un jouet?

Rends-toi au chapitre 82 et essaie de découvrir ce qu'il cache derrière son dos.

Après ce superbe coup, le chevalier vous conduit à la salle du trône où vous attend le roi Rodomont.

«Gloire à Sa Majesté», fait le chevalier, dans un salut cérémonieux.

Amusés, vous faites, vous aussi, une petite courbette de révérence...

«Voici les vaillants chasseurs de dragon, Sire, vous introduit-il.

— «Tripes de bœuf», qu'est-ce que vous attendez pour vous rendre à la grotte du dragon? gueule le roi de sa voix rauque qui résonne sur les murs de pierre. Et puis, où sont vos armes? Vous ne pensez tout de même pas vaincre ce monstre cracheur de flammes à mains nues et délivrer la princesse Audrey...

— AUDREY??? répètes-tu en dévisageant tes amis. Notre Audrey...

— LA PRINCESSE AUDREY! rage le roi. Elle est ma fille. Je l'ai adoptée le jour même où elle m'est apparue dans le jardin du château dans un nuage de fumée et sous une pluie d'éclairs.

— Un nuage de fumée? Une pluie d'éclairs? répète Jean-Christophe à voix basse dans ton oreille. Il ne peut s'agir que de notre Audrey...

— Prenez ce trousseau de clés et allez à l'armurerie située dans le donjon du château pour vous choisir une hallebarde et une armure, vous ordonne

Rodomont. Rendez-vous ensuite à l'écurie. Je vous ferai préparer mes trois meilleurs chevaux. Allez! et je vous conseille de me ramener ma fille saine et sauve, ainsi que... LA TÊTE DU DRAGON! Sinon ce sera les vôtres qui orneront le rempart du château...»

Dépêchez-vous! Pour vous rendre à l'armurerie, passez par le chapitre 30.

22

«Non! je ne peux pas me marier, panique Marjorie. J'suis beaucoup trop jeune...»

Le chef se lève, et en tapant plusieurs fois dans ses mains, **CLAP! CLAP! CLAP!** il ordonne à toute la tribu de commencer les préparatifs en vue de la célébration.

Aussitôt, le clan tout entier s'amène vers vous avec en tête une poignée de chasseurs à l'air féroce, munis de javelots. Vous vous retrouvez vite encerclés. Deux grosses bonnes femmes des cavernes se faufilent jusqu'à Marjorie et la saisissent.

Tu veux la secourir, mais un chasseur s'avance rapidement vers toi, et te fait osciller la pointe en silex de son javelot sous le nez.

Au coucher du soleil, Jean-Christophe et toi vous vous retrouvez couchés et attachés à une table de pierre au sommet d'une colline.

Marjorie est là, affublée d'une couronne de fleurs et couverte de peaux de fourrure. Elle est entourée du chef de la tribu et de son futur époux.

Vous n'avez pas de chance, car dans cette tribu, la cérémonie du mariage débute toujours par un sacrifice humain aux dieux.

Le sorcier, visage masqué d'une écorce peinte, soulève son poignard haut dans le ciel en grommelant une incantation...

YARHUGARGAR!

Maintenant, as-tu... PEUR?

Si les pages de ton Passepeur tremblent, c'est que tu es terrorisé. Alors, rends-toi au chapitre 80.

Si par contre, tu n'es pas le moindrement effrayé, va au chapitre 84.

23

Vous n'avez guerre le choix : pour traverser cette immense salle, vous devez vous laissez glisser d'un bout à l'autre en vous élançant sur la surface glacée.

Tous les trois, vous reculez pour vous donner un élan, puis, jambes écartées, vous sautez sur la glace. Vous glissez et glissez. *SHHHHHHH!* Droit devant toi se dresse un stalactite de glace. Tu essaies de l'éviter, mais tu te cognes douloureusement le tibia dessus.

«OUILLE!», te plains-tu en glissant sur une seule jambe...

Plus loin, ton estomac se serre lorsque tu te rends compte que vous allez vous écraser sur la porte de sortie qui est complètement gelée et pleine de pics de glace tranchants.

Y'a pas moyen de vous ralentir. Vous vous couchez sur le dos, pieds devant, en espérant qu'elle ne soit pas verrouillée. Si, par malheur, elle l'est... VOUS ALLEZ MOURIR EMPALÉS!

Vous vous préparez pour l'impact en espérant qu'elle ne le soit pas.

Pour le savoir, TOURNE LES PAGES DU DESTIN...

Si elle n'est pas verrouillée, enfoncez-la avec vos pieds, et rendez-vous au chapitre 81.

Si, par contre, elle est verrouillée... PRÉPARE-TOI AU PIRE! Allez au chapitre 51.

24

Petit à petit, vous progressez dans le tunnel. Un rugissement se fait entendre, mais tu ignores d'où il provient. Si tu t'étais douté qu'une simple partie de cache-cache pouvait provoquer autant d'événements épouvantables, tu aurais plutôt loué un film au club vidéo!

Votre croisade dans le tunnel vous a menés jusqu'à une immense salle coiffée d'un dôme de pierre. Cette salle n'est qu'un bric-à-brac de vieux grimoires et de trucs utilisés en magie. À travers la fumée d'un chaudron en ébullition, un vieil homme en tunique, le crâne dégarni et à la longue barbe grise, est occupé à des expériences sur une grande table remplie de bouteilles, de fioles pleines de substances rares.

C'est l'enchanteur du roi... LE SORCIER! S'il y a quelqu'un qui peut vous aider, c'est bien lui, vous vous approchez... IL SURSAUTE!

«OUUUAH! s'écrie-t-il. Vous m'avez surpris. Une chance que j'ai bu ce matin mon élixir de vie éternel, car si je ne l'avais pas fait, aussi sûr que je me nomme Mortdetrouille, je serais passé de vie à trépas...»

Il tend ensuite sa main toute tremblante et ridée vers toi et poursuit :

«Mais enfin, je vous pardonne. J'ose espérer que vous me rapportez l'ultime ingrédient qui manque à ma formule pour transformer ces simples cailloux sans valeur en émeraudes, en rubis, en saphirs et en diamants!»

C'est évident qu'il vous prend pour quelqu'un d'autre.

Mais que vas-tu lui répondre? Vas-tu faire une erreur en lui disant qui vous êtes vraiment? Pour le savoir, rends-toi au chapitre 15.

Marjorie arrive la dernière, sale et toute décoiffée; elle est dans un état pitoyable...

«Vous ne pouvez pas savoir par où il m'a fait passer, vous dit-elle, tout essoufflée. Et puis, il a voulu m'embrasser, plusieurs fois même. POUAH!

— Si vous réussissez à déchiffrer le symbole sur le mur, explique la grand revenant, vous pourrez passer par le couloir secret qui conduit au bureau clandestin de monsieur Tong. C'est le meilleur endroit pour vous cacher.»

Approchez-vous et essayez!

Regarde bien cette illustration. Indique-t-elle 37 ou 73? Rends-toi au chapitre que tu crois s'ouvrir sur le couloir caché.

Tu poses ton pion sur la case mauve marquée de lettres or qui te dictent de prendre une carte mystère. Au moment où tu t'apprêtes à la lire, un grondement résonne. *GRRRRRRR!* Par une petite fenêtre grillagée, tu t'aperçois qu'un orage se prépare.

«Des visiteurs inattendus vous en mettront plein la vue», lis-tu finalement sur la carte.

Tu passes les dés à Marjorie, qui pointe fébrilement du doigt la porte de l'entrepôt qui s'ouvre lentement.

À l'instant même où un épouvantable coup de tonnerre survient **BRAAOOOUUUUM!**, deux étranges silhouettes apparaissent, entourées d'un épais nuage de fumée.

Discrètement, vous vous dirigez vers une grosse caisse de bois.

Allez-vous avoir le temps de vous y cacher avant d'être vu?

Pour le savoir, TOURNE VITE LES PAGES DU DESTIN.

Si elles ne vous ont pas vus, allez au chapitre 35 et ne bougez pas un seul muscle.

Si, par contre, ELLES VOUS ONT APERÇUS, rendez-vous au chapitre 4.

Tu n'as même plus la force de bouger. Marjorie prend alors le flacon, l'ouvre et t'en fais boire une rasade. Tu ingurgites le liquide blanchâtre et gluant.

«J'crois que j'ai fait le bon choix, souris-tu à tes amis. Mais j'ai encore un peu la nausée. C'est sans doute à cause de cette odeur nauséabonde que dégagent ces cadavres. POUAH! Dégueulasse...»

Vous vous dirigez vers la sortie; un léger frottement se fait alors entendre, suivi d'un grognement sourd.

GRRRRRRRR!

Tu constates que ça bouge sous le drap blanc de la table, juste à vos côtés...

Vous voulez reculer, mais votre dos heurte quelque chose. Quelque chose de grand qui sent terriblement mauvais...

Vous vous élancez vers la porte. Des mains glissent hors du drap et essaient de vous agripper...

Allez-vous avoir le temps de vous enfuir avant que ces cadavres mettent leurs mains blanches et froides sur vous? Pour le savoir...

TOURNE LES PAGES DU DESTIN.

Si vous avez réussi à fuir, courez à toutes jambes jusqu'au chapitre 44.
Mais si, par malheur, ils vous ont attrapés, faites vos prières avant d'aller au chapitre 83.

28

Vous courez et courez dans l'étroite galerie qui conduit au centre du village, où se déroule un curieux rituel. Tout le clan est présent autour du chef et de son fils, pour qui le jour de prendre épouse est arrivé. Une longue procession de jeunes filles défile devant le gros garçon au dos poilu qui hoche la tête de gauche à droite devant chacune des jeunes femmes qui se présentent à lui.

Le chef, assis sur son trône d'os blanchis et de défenses de mammouth, finit par perdre patience et frappe brutalement l'accoudoir, *BLAM!*

Le gros garçon sursaute et vous aperçoit à l'entrée de la caverne.

Ses yeux s'écarquillent, puis il pointe du doigt...
MARJORIE.

«Qu'est-ce que j'ai fait? interroge Marjorie.

— Rien! lui répond son frère. Le fils du chef vient seulement de te choisir pour être sa femme...»

Va au chapitre 22.

29

À peine as-tu posé ton pion sur la case que des éclairs jaillissent du jeu. **CHRIIIIIIK!** Tu te bouches les oreilles et tu fermes les yeux.

Rapidement, le bruit cesse. Tu ouvres un œil, puis l'autre. Le soleil brille et des petits nuages cotonneux flottent doucement dans le beau ciel bleu.

Heureux de voir que vous êtes toujours ensemble, vous observez, agenouillés dans l'herbe, la vaste plaine qui vous entoure. Sur la cime d'une montagne trône un château du moyen-âge. Un chevalier galope sur sa monture blanche entre les arbres de la forêt qui entoure les fortifications du château. Il vient droit sur vous sous... **POUM! POUM! POUM!**

«C'est un grand honneur de vous accueillir dans le royaume du roi Rodomont messires, lance le chevalier sous son lourd casque coiffé de plumes. Suivez-moi jusqu'au château. Le dragon est retourné à sa tanière, et sa majesté le roi est hors de lui.

— UN DRAGON! s'étonne Marjorie. Quel dragon?

— Pardi! Celui qui a emporté la princesse,

s'exclame le chevalier. Mais attendez, êtes-vous les chasseurs de dragon mobilisés par le roi? Parce que si vous n'êtes que de vulgaires détrousseurs de grands chemins, c'est le cachot qui vous attend.

— Oui, oui, oui! répond aussitôt Jean-Christophe. C'est bien nous, les Téméraires tueurs de dragons...

— Vous allez devoir me le prouver, dit le chevalier, devenu incrédule. En lançant cette bille de fer dans le petit trou, près du pont-levis. Seul un vrai tueur de dragon peut réussir ce coup. Si vous réussissez, je vous conduis à la cour du roi, sinon, je vous traîne jusqu'au cachot, et vous serez jetés dans la fosse aux lions...»

Afin de prouver ton adresse, essaie d'atteindre le trou avec la bille. TOURNE LES PAGES DU DESTIN et vise bien...

Si tu réussis à lancer la bille en plein dans le trou, rends-toi au chapitre 21, où vous serez présentés au roi.

Si, par contre, tu manques ton coup, allez au chapitre 3.

30

D'un pas pressé, vous vous dirigez vers la lourde porte ferrée et boulonnée donnant accès à l'armurerie.

«Laissez-nous passer! ordonnes-tu au garde debout à l'entrée. C'est le roi lui-même qui nous envoie...»

Le garde demeure impassible.

«EH, GROSSE BOÎTE DE CONSERVE! hurles-tu. T'ES SOURD? IL NOUS FAUT DES ARMES AFIN DE SAUVER LA PRINCESSE...

— Euh! Pardon, vaillants guerriers, s'excuse-t-il. C'est le casque de fer de mon armure qui m'empêche d'entendre.»

Le garde fait tout de suite pivoter la porte. Tu traverses d'un pas pressé un long couloir sinueux bordé de torches crépitantes jusqu'au chapitre 65, à l'endroit où le couloir prend deux directions.

Vous vous tenez tous les trois entre les rangées de pierres tombales en styro-mousse et les arbres morts en carton-pâte. Un appareil projette une fumée sur le sol, imitant parfaitement le brouillard.

Tu voudrais bien savoir ce qui se passe, mais au moment où tu ouvres la bouche pour demander des explications, un clapman se précipite devant la caméra avec son clap et crie : «Les P'tits Maniaques de Sombreville», scène finale, prise un...»

Le réalisateur prend place sur sa chaise, croise les jambes et crie:

«ACTION!»

Toutes les lumières s'éteignent et un projecteur est dirigé sur une pierre tombale devant laquelle une main décharnée et sanglante surgit et t'offre... LES DÉS DU JEU MONSTROPOLY!

Tu les prends sans hésitation et vous vous retrouvez tous les trois, comme par magie, dans l'entrepôt.

Ce jeu a une bien dégoûtante façon de dire que c'est... À TOI DE JOUER!

La partie est loin d'être terminée. Retourne au chapitre 11 et choisis bien la case sur laquelle tu vas poser ton pion.

32

De retour dans la forêt, un gros chêne, qui a été la proie des flammes, finit de se consumer. Tout près d'un tas de braise rouge, tu remarques une grande empreinte de pied à trois orteils mesurant plus d'un mètre.

Jean-Christophe dégaine son épée et scrute les profondeurs de la forêt.

«Il ne doit pas être bien loin», chuchote-t-il, en posant son regard entre chaque branche de chaque arbre...

Marjorie se repose, assise sur un rocher.

Tandis que tu observes autour, le sol se met à vibrer. **BRRRRRRR!**

«C'EST UN TREMBLEMENT DE TERRE!

s'écrie Jean-Christophe. ACCROCHEZ-VOUS...»

La vibration cesse brutalement...

«J'crois pas que ce soit une secousse sismique, lui fais-tu remarquer. Ça provient de là-bas.»

Le sol se met à vibrer de nouveau. *BRRRRRR!*

Tu avances vers un épais feuillage. Tu lèves les yeux et tu remarques que de la fumée s'échappe de deux gros trous. Un autre grondement se fait entendre *BRRRRRRRR!* et de petites flammes jaillissent des deux cavités...

Tu secoues la tête d'étonnement lorsque tu réalises qu'il s'agit... DU DRAGON.

OH OH! Il ne faut pas jouer avec le feu... Que vas-tu faire alors? T'enfuir. Ça, jamais, pas sans Audrey. Alors lentement, et sans faire de bruit, vous vous rendez au chapitre 52.

Sûr de toi, tu annonces au génie que, pour toi et tes amis, le jeu est terminé.

Le génie, fou de rage par cet affront, rugit :

«Tu as vraiment la tête dure, toi, mais c'est une bonne chose. Elle te sera utile, cette tête dure, lorsque, dans quelques jours, tu arriveras... AU FOND DE CE PUITS!»

FIN

34

Maintenant, fais un signe de croix et choisis un contenant parmi les trois. Rends-toi au numéro du chapitre inscrit en-dessous du flacon que tu crois être l'antidote.

35

L'odeur aigre de la fumée devient de plus en plus forte. Bien cachés, vous restez immobiles. Tu cherches autour de toi quelque chose qui pourrait te servir d'arme. Mais il n'y a rien. De toute façon, y a-t-il quelque chose qui peut faire fuir des fantômes? NON,

RIEN...

Puis soudain...

«Il y a quelqu'un? fait une petite voix perçante. Vous êtes là? Je vous en prie, sortez, c'est super urgent...»

Tu lèves la tête...

«Enfin, nous vous avons trouvés!» s'exclament à l'unisson les jumelles Nadeau, le visage blême.

Tu fronces les sourcils, étonné de les voir.

«Que faites-vous ici, à cette heure ? leur demande Marjorie en contemplant la boîte à chaussures trouée d'où s'échappe cette curieuse fumée. Et qu'est-ce que vous transportez dans cette boîte?

— Nous vous avons cherchés partout, débite rapidement Darla, affolée. J'ai quelque chose à vous montrer, ajoute-t-elle en soulevant la boîte de souliers.

— C'est Cricri, notre hamster, poursuit sa soeur Molly, toute sanglotante. Ce matin, il s'est enfui de sa cage. On l'a retrouvé au bout de la rue dans les poubelles de l'usine de recyclage Gruber. Il gisait inerte dans une substance mauve et visqueuse entre des détritus et des flacons de produits chimiques brisés, continue-t-elle. Il se passe des choses vraiment étranges là-bas. Nous avons voulu le ramener chez nous, mais de la fumée a commencé à sortir de la boîte.

Si tu veux jeter un coup d'oeil dans la boîte, rends-toi au chapitre 60.

Marjorie prend les dés et attend bien sagement que tu aies achevé ton tour.

Tu regardes avec hésitation le plateau du jeu. Un cimetière, un mausolée, une case pleine de pics pointus, une autre avec des tentacules. Près de la case portant de petits appareils de torture, il y a même des taches de sang noircies... OUARK! Pas très encourageant.

Il y a peut-être celle qui porte l'image d'une lampe à l'huile qui ressemble étrangement aux lampes qu'on frotte pour faire apparaître un génie.

«MMMMM! ça pourrait être intéressant», décides-tu en posant ton pion.

Immédiatement, une fumée rose s'échappe du centre du jeu en chuintant.

SHHHHHHHHHHHHH!

Une grande silhouette, bras croisés, coiffée d'un turban constellé de pierreries, apparaît devant toi.

— Êtes-vvous un génie? bafouille Marjorie, d'une toute petite voix...

— Bien sûr, lui répond-il. Vous n'avez qu'à regarder votre amie Audrey. Elle voulait devenir immortelle et conserver sa jeunesse, alors je lui ai accordé son souhait, continue-t-il en riant longuement d'une façon démoniaque. HAA! HAA! HAA!»

C'est un génie cruel et malfaisant...

Vous essayez de vous dérober pendant qu'il rit à gorge déployée. Allez-vous avoir le temps de vous enfuir avant qu'il ne vous voie? Pour le savoir...

TOURNE LES PAGES DU DESTIN...

Si le génie ne vous a pas vus, fuyez en douce jusqu'au chapitre 59.
Si, par malheur, il vous a vus, allez au chapitre 9.

37

Malheureusement... TU T'ES TROMPÉ!

Désespéré, tu poses les mains sur tes genoux. Tu ravales bruyamment ta salive **GLOURB!** lorsque les trois fantômes apeurés te passent sous le nez et s'enfuient.

Le sol devient tout à coup tout rouge, et les murs disparaissent. Autour de vous, il n'y a rien que les ténèbres. Une main géante descend de la noirceur et te saisit la tête. Tu te sens soulevé dans les airs et transporté sur la case du cimetière. Tu regardes la pierre tombale devant toi : dans le marbre, quelqu'un a gravé ton nom.

Tout autour, il y a d'autres cases, et sur les cases... DES PIONS!

«MONSTROPOLY!» t'écries-tu.

Tu essaies de soulever tes pieds, mais ils s'enfoncent dans la case et tu te sens aspiré dans le sol; tu aboutis dans un cercueil plusieurs pieds sous terre.

Des heures passent et tu sens ton corps devenir,

peu à peu, bleu et transparent. Au bout de plusieurs jours, apparaît le visage des trois revenants.

«Maintenant, toi aussi, tu es un revenant! te dit le p'tit gros. Alors on fait une partie? C'EST À TON TOUR DE COMPTER...»

FIN

38

Dans ces marécages où règne un silence de mort, les grands arbres feuillus cachent la lumière du jour et rendent l'endroit sombre.

Autour de vous, des buissons mouvants se déplacent lentement sur la surface de l'eau. Vous avancez difficilement en contournant les racines des arbres, les quenouilles et les nénuphars. Une nuée de chauvesouris arrivent vers vous. **FLOP! FLOP! FLOP!** Tu relèves ton chandail par-dessus ta tête pour éviter qu'elles ne se prennent dans tes cheveux. Elles poursuivent leur envolée et disparaissent dans les arbres.

Tu te retournes rapidement, lorsque *SCHHH! FLOUCH! FLOUCH!* tu entends un froissement de feuilles, et en même temps, tu reçois des éclaboussures d'eau dans le dos.

«Aucun poisson ne peut vivre dans cette eau sale, fais-tu remarquer à tes amis. Alors... ÇA NE PEUT ÊTRE QUE LUI!

— Où est cet espèce d'épinard-mutant galeux?», demande Marjorie, les deux poings serrés, prête à se défendre.

Il est dans cette illustration... TROUVE-LE! Parce que sinon...

Si tu réussis à le dénicher entre le feuillage et les racines tortueuses des arbres, rends-toi au chapitre 66.

Si, au contraire, il demeure introuvable, allez au chapitre 87, mais avant... CRIEZ!

39

Les fourmis géantes vous talonnent. Vous vous élancez vers le haut d'une colline gazonnée. Mais c'est une grave erreur, car ce n'est qu'une fois arrivés en haut que vous constatez que la colline est encerclée. Jean-Christophe et Marjorie dégainent leur épée.

Toi, tu pointes ta hallebarde vers un attroupement de fourmis qui foncent tout droit sur toi en faisant claquer leurs mandibules.

CLAC! CLAC! CLAC!

Tu fais tourner ton arme au-dessus de ta tête, et **PAF!** tu frappes la première bestiole qui met la patte sur le sommet de la colline. Elle va s'écraser sur les autres, les faisant ainsi toutes tomber jusqu'en bas...

L'épée tranchante de Jean-Christophe doit bien mesurer plus d'un mètre. Il la fait tournoyer autour de lui comme une hélice, coupant antennes, pattes et mandibules de toutes les fourmis qui osent se frotter à sa lame.

Marjorie plante la sienne dans l'abdomen de la dernière fourmi encore vivante. **CHLAC!**

Quel combat!

Reposez-vous un peu, et ensuite partez vers le chapitre 32.

40

OUI! tous les yeux méchants des pantins... SONT MAINTENANT FIXÉS SUR VOUS!

Ayant flairé le danger, les trois fantômes disparaissent à travers le plafond sans dire bonsoir...

Ensuite, toutes les têtes des pantins se mettent lentement à bouger. Tu réussis à te mettre à l'écart, sur le pupitre, avec Marjorie et Jean-Christophe. Les pantins s'étirent en bâillant comme si vous les aviez tirés d'un long sommeil.

Un après l'autre, ils se laissent glisser du divan.

Leur corps raide chancelle, tel un homme ivre, et leurs membres de bois s'entrechoquent, **CLOC! CLOC! TOC!** lorsqu'ils avancent vers vous en titubant.

Tu jettes des regards désespérés tout autour de vous. Tu cherches à fuir par le passage secret, puis par une des fenêtres. Mais c'est trop tard... Les pantins vous entourent et escaladent déjà le pupitre.

QUELLE VISION! Ils sont la terreur personnifiée, et ensemble, ils t'offriront le plus terrifiant Passepeur pour un horrible cauchemar...

FIN

41

Les griffes du monstre se plantent dans ton chandail. Tu t'agrippes au tronc de l'arbre, mais c'est inutile... IL TE TIRE VERS LUI!

Les deux busards se jettent sur Marjorie et Jean-Christophe et les saisissent. Ils sont pris, eux aussi...

Tu tentes de reculer, mais tes pieds glissent sur

les planches. Tu sens que ses horribles petits yeux rouges sont posés sur toi. Tu fermes les tiens, sachant bien que dans quelques secondes, il posera, en plus... SES LONGUES DENTS SUR TOI!

Lorsque le monstre, les deux busards affamés, les sangsues et toutes les autres bestioles puantes et gluantes du marécage en auront fini avec vous, il ne restera pas grand-chose des Téméraires de l'horreur... NON! VRAIMENT PAS GRAND-CHOSE...

FIN

42

Le reflet dans la vitrine ne te ment pas... C'EST UN COUTEAU!

Vous reculez tous les trois, lentement...

Tu t'arrêtes lorsque derrière toi, un vrombissement de moteur se fait entendre.

VRRRRRRRRR! VRRRRR!

«Enfin quelqu'un qui pourra nous aider», espères-tu.

Vous faites volte-face, et découvrez, horrifiés, qu'il s'agit d'une petite fille coiffée d'une cagoule de bourreau avec une tronçonneuse dans les mains.

Vous vous précipitez vers une maison. Vous courez comme des fous jusqu'à l'entrée. Tu appuies sur la sonnette, une fois, deux fois, trois fois. Tu sonnes jusqu'à ce qu'une lumière s'allume à l'intérieur.

IL ÉTAIT TEMPS!

Tu te retournes nerveusement plusieurs fois vers les deux gamins qui se rapprochent. Le petit garçon fait balancer son couteau au-dessus de sa tête...

Les mains placées de chaque côté de ta bouche, tu hurles...

VITE, OUVREZ-NOUS!

VLAN! Le couteau vient se planter sur le chambranle de la porte qui s'ouvre enfin.

Un petit rouquin armé d'un pic à glace rouillé surgit. La bouche figée dans un rictus hideux, il te dévisage, puis s'élance…

«NON!» proteste Marjorie, horrifiée.

Tu pousses tes amis et, tête baissée, tu plonges pour éviter d'être transpercé. Son pic t'effleure la jambe et va se planter entre les planches du balcon.

Pendant qu'il essaie de le dégager, vous foncez à l'intérieur de la maison au chapitre 50, et vous refermez la porte. **BANG!**

43

La gargouille vous emporte un après l'autre dans un endroit peuplé de créatures bizarres. Vous restez immobiles, entourés de tous ces monstres. Tu te pinces pour savoir si tout cela ne serait qu'un mauvais rêve.

Aïe! Ça fait mal, alors tu ne rêves pas.

C'est le pire cauchemar de tous...

Ils sont tous là : le prof cannibale, Alien Bizarroïde, Frénégonde la sorcière, la momie du pharaon Dhéb-ile, le Docteur Vampire ainsi que TOUS les autres monstres de tous les Passepeurs...

T'as beau être un Téméraire de l'horreur, mais là, tu n'y échapperas pas... LA NUIT DE LEUR VENGEANCE EST VENUE!

FIN

44

Vous vous jetez tous les trois vers la sortie, mais vous arrivez face à face avec une meute de savants.

«SONNEZ L'ALARME! hurle le chef. IL Y A DES INTRUS DANS L'USINE...»

WOOOOUUUUUUU!

Vous courez vers l'escalier avec la horde rageuse de scientifiques fous à vos trousses. Arrivés au troisième étage, vous traversez une passerelle conduisant au bâtiment principal, où des dizaines de pièces de machinerie fonctionnent à plein régime.

TCHOUC! TCHOUC! TCHOUC!

Vous sautez sur un tapis roulant qui vous amène à l'autre bout de l'usine. Là, vous profitez d'un moment d'inattention du gardien pour grimper à l'arrière

d'un camion qui démarre, justement. Cachés entre de grosses boîtes de carton, vous filez dans les rues de Sombreville.

Le chauffeur arrête son véhicule à deux pâtés de maison de la fabrique de jouets.

«TERMINUS! s'écrie Marjorie. Tout le monde descend...»

Vous débarquez tous les trois et vous foncez vers la fabrique au chapitre 11. Ne vous découragez pas... LA PARTIE NE FAIT QUE COMMENCER!

45

Vous réapparaissez à l'endroit même où vous aviez disparu : dans l'entrepôt, devant le jeu. Le mauvais génie n'est plus là, et c'est tant mieux.

Jean-Christophe prend les dés, les brasse et les lance sur le plateau.

«Quatre!» s'exclame-t-il en posant son pion sur la case noire.

Vous êtes aussitôt plongés dans l'obscurité totale. Tu cherches à tâtons les dés, mais tes mains touchent quelque chose d'autre... UN GROS ORTEIL!

Un monstre quelconque est planté au beau milieu du jeu. Tu lèves la tête, deux yeux lumineux t'observent. Pris de panique, tu recules et poses un pied sur un des dés. Un petit bruit survient. Tu tends l'oreille et tu aperçois les yeux qui se rapprochent de toi. Tu lances tout de suite les dés, les six chandelles se rallument simultanément et le monstre disparaît. OUF!

Tu n'as jamais vu de quoi il s'agissait, et c'est tant mieux. Retourne au chapitre 11 et choisis une autre case...

«HA! HA! HA! ricane méchamment le génie en vous voyant revenir. On ne quitte pas au beau milieu d'une partie, ce n'est pas convenable. Nous vous attendions, votre amie Marjorie et moi, pour poursuivre...

— Espèce de gros dégoûtant! t'emportes-tu. Pourquoi ne nous fiches-tu pas la paix?

— Attention! petits enfants ridicules, tonne le génie. Où sont vos bonnes manières? Si vous essayez encore une fois de vous enfuir, il vous en cuira... Si vous tenez absolument à vous débarrasser de moi, vous n'avez qu'à en formuler le souhait...»

...au chapitre 61.

«Je n'en crois pas mes yeux sans pupilles! s'exclame Zardon en faisant un grand sourire. Tu as certes la trempe qu'il faut pour mener à bien cette mission. Écoutez bien : elle consiste à me rapporter la corne de Strabis... LE MONSTRE DES MARÉCAGES.

— Est-ce que j'ai bien entendu? demande Marjorie. UN MONSTRE!

— Oui, une bête mutante, mi-homme, mi-fongus, poursuit Zardon. Attention, car un simple toucher de cet être immonde vous apportera toutes sortes de maladies inimaginables. Maintenant, assez discuté, s'impatiente-t-il. TENEZ-VOUS BIEN!»

Zardon gonfle les joues et souffle une fumée mauve qui envahit aussitôt l'entrepôt et vous enveloppe. Vous sentez soudain une étrange froideur vous saisir la moitié du corps.

La fumée finit par se dissiper, et comme par enchantement, vous vous retrouvez, jusqu'à la taille, dans l'eau glauque du marais, au chapitre 38.

48

Si tu avais bien regardé dans la vitrine du magasin de monsieur Joey, tu aurais pu voir qu'il tenait, en fait, entre ses mains... UN DANGEREUX COUPERET DE BOUCHER!

Il sort le couteau de derrière son dos, et fait bouger la lame brillante et bien effilée. Les rayons de

lune miroitent sur ton visage; ébloui, tu clignes des yeux.

«Voulez-vous jouer avec moi?» vous demande-t-il.

Puis, il grimpe sur le capot d'une voiture et lance le couteau dans votre direction. Tu te jettes sur le sol. La lame virevolte au-dessus de vos têtes et va se planter au beau milieu de la clôture d'une maison sombre et délabrée.

Tu recules, entraînant avec toi Marjorie et Jean-Christophe dans la cour arrière de la maison. T'as à peine le temps de fermer la barrière que tu sens quelque chose dans ton dos. AIE! tu te retournes : c'est un autre petit enfant. Il porte un masque de hockey et il pointe vers toi... UNE TRONÇONNEUSE!

VRRRRRRRRRR! VRRRR!

Une petite fille avec des tresses, assise sur un tricycle, te lance un ballon. Tu l'attrapes et tu constates qu'il s'agit d'une tête ensanglantée. La cour est pleine

de petites pestes bourrées d'idées noires qui jubilent en vous voyant.

C'EST LA GARDERIE DES BAMBINS MANIAQUES!

Cette nuit, ces enfants turbulents vont probablement réussir à te faire perdre... LA TÊTE!

FIN

49

Tu tombes et tu atterris dans le filet d'un curieux personnage vêtu d'un sarrau blanc. Tu te tortilles, et tu essaies de mordre les cordages afin de les couper, mais c'est inutile. Il plonge sa main gantée de caoutchouc dans le filet, t'attrape et t'enferme dans une petite cage.

Ensuite, il te jette sur la banquette avant de sa vieille bagnole, et file en direction de l'université de Sombreville.

Tu te rends compte que c'est un professeur, que tu es un cobaye, et qu'il va, devant sa classe, pratiquer toutes sortes d'expériences... DES TAS D'EXPÉRIENCES!

FIN

50

Vous barricadez la porte avec tout ce qui vous tombe sous la main. Chaises, table, sofas, tapis persan... TOUT Y PASSE!

Avec précaution, tu t'approches de la fenêtre. Tu ne vois ces petits monstres nulle part. Où sont-ils passés?

Le plafonnier se met soudain à bouger et des bruits de pas se font entendre dans le grenier...

«ILS ONT RÉUSSI À ENTRER!» s'écrie Marjorie.

Vous foncez vers la cuisine. À peine y avez-vous mis les pieds qu'une grande mare rouge vous arrête. Ça s'écoule du four à micro-ondes... ÇA RESSEMBLE À DU SANG! Tu t'approches du hublot, OUACHE! une VRAIE TÊTE...

Quelqu'un court dans la maison! **POUM! POUM! POUM!** Les gamins apparaissent dans l'embrasure de la porte...

La trappe qui mène à la cave est juste à tes pieds. Vont-ils réussir à vous attraper avant que vous ayez le temps de fuir?

TOURNE LES PAGES DU DESTIN.

S'ils vous attrapent, allez au chapitre 74.
Si vous réussissez à vous enfuir, courez jusqu'au chapitre 14.

51

QUEL MALHEUR! Elle était verrouillée. On peut dire que là, vraiment, vous êtes vraiment TOMBÉS «À PIC»!

Depuis votre mésaventure, trois silhouettes fantomatiques et pleines de trous hantent la fabrique de jouets de monsieur Tong... VOUS TROIS! Oui, vous trois : les fantômes gruyères comme disent les gens du quartier...

FIN

52

Marjorie essaie de se relever, mais elle en est incapable; on dirait que le rocher sur lequel elle s'est assise la retient. Tu t'approches, et tu te rends compte qu'elle est vraiment dans le pétrin, car en fait sa jambe n'est pas coincée entre les saillies d'un rocher, mais plutôt entre les griffes tordues d'une des pattes du dragon.

«Des tonnes de problèmes en perspective», chuchotes-tu en considérant le terrifiant et gigantesque reptile qui dort, appuyé sur le tronc d'un arbre. Avec une gueule de cette dimension, il peut vous avaler d'une seule bouchée...

Le nez du monstre se met à bouger de gauche à droite. Sa respiration devient plus profonde...

«Il va éternuer! conclut Jean-Christophe. Et s'il éternue, il risque de carboniser ma sœur Marjorie.»

Tu regardes le monstre; ensuite, tu regardes l'arbre. Même si tu as mortellement peur des hauteurs, tu grimpes rapidement dans l'arbre, tu dégaines ton épée et la places sous les narines du dragon pour l'empêcher d'éternuer.

Sentant quelque chose le chatouiller... LE DRAGON SE RÉVEILLE!

La suite au chapitre 93.

53

Tu ouvres la porte; tout de suite, vous êtes entourés de fumée. Tu te jettes par terre, et tous les trois, vous cheminez à la queue leu leu vers le gros trou dans le mur de pierre créé par l'explosion.

Les mains et les genoux dans l'herbe, tu reprends ton souffle, et avant que tu songes à te relever, quatre écuyers te remettent sur pieds, te revêtent d'une armure toute blanche. Tu te retrouves donc, javelot en main, assis sur un cheval paré pour un combat de chevalier.

À l'autre bout de l'enclos, un chevalier noir

pointe son javelot dans ta direction.

De la loge royale, la reine se lève et laisse tomber son mouchoir sur le sol... C'est le signal du début du combat.

Le chevalier noir plante ses éperons dans les flancs de sa monture qui part aussitôt au galop. Tu places ton bouclier entre son javelot et ton sternum. Son arme percute le bouclier. L'impact est si violent que tu te ramasses sur le derrière **BLAM!**

Les trompettes et les cornets résonnent en l'honneur du champion. Le roi remet le drapeau de la victoire au chevalier noir, et la reine te remet, à toi, le perdant... LES DÉS DU JEU MONSTROPOLY!

Tout se met à tourner autour de toi et tu te retrouves dans la fabrique de jouets au chapitre 62.

Vous marchez longuement, puis vous arrivez enfin dans une grande pièce lumineuse, éclairée par un puits de lumière; une infâme odeur empeste l'air.

«Ce n'est pas l'armurerie ça?» dit Marjorie d'une voie perçante.

Dans un coin, il y a aussi un crâne d'homme sur lequel il n'y a plus de chair. Un rat surgit d'une de ses orbites vides.

Tu tournes les talons et tu t'élances vers la porte par laquelle vous êtes entrés. Le visage d'un lion couronné d'une épaisse crinière apparaît dans l'embrasure, crocs pointus et gueule baveuse dirigés vers toi.

Marjorie stoppe net et observe, bouche-bée, le gros félin mangeur d'hommes qui rugit. *GRRRRR!*

Un frisson de terreur te parcourt de la tête aux pieds. Tu peux te mettre à paniquer et à crier à l'aide, mais le gardien n'entendra rien à cause de son foutu casque de fer.

Ne perd pas espoir, peut-être qu'un jour tu réussiras à te rendre à la...

FIN

55

À la porte de ton cachot, on te projette d'une violente poussée sur le sol de paille humide. Tu n'as pas le temps de te relever que la grille se referme, **BANG!**

À deux mains, tu agrippes la grille et la secoues de toutes tes forces. **BANG! BANG!** Rien à faire.

«Tu crois que tu peux réussir à nous sortir de là?

te demande Marjorie, enfermée dans la cellule voisine.

— Non, impossible! lui réponds-tu. Pas en forçant la porte, en tout cas. Je dois trouver une autre solution.

— Moi, je ne peux rien faire ici! poursuit Jean-Christophe, dans le troisième cachot. Tout repose sur toi mon ami, trouve une façon de nous sortir de là...»

Dans un coin, tu aperçois un grand bol ainsi qu'une cuillère. Avec la cuillère, tu te mets à gratter le mur que tu crois être le mur extérieur du château.

COOL! Tu réussis assez vite à enlever le mortier entre deux pierres. Tu colles ton œil sur l'ouverture. Il y a de la lumière de l'autre côté, mais il y a aussi quelqu'un : tu entends respirer.

«QUI EST-LÀ?» demandes-tu, la bouche placée devant le trou.

Tu sens, tout à coup, une haleine fétide t'arriver en plein visage, suivie d'un terrible rugissement... AH NON, UN LION!

Tu vois son horrible tête et ses dents tranchantes entre les pierres. Il a l'air pas mal affamé...

Alors, tu t'attaques au mur qui sépare ta cellule de celle de Marjorie. Tu réussis à dégager une grosse pierre du mur. Tu te glisses dans l'ouverture pour la rejoindre.

Ensemble, vous grattez le mur jusqu'au chapitre 77, où se trouve le cachot de Jean-Christophe.

«BRAS DE FER! t'écries-tu en posant ton coude sur la caisse de bois. Et si je gagne, vous nous foutez la paix, une bonne fois pour toutes.

— C'est d'accord, accepte-t-il en avançant vers toi d'un pas nonchalant. Mais je veux que tu saches que je n'ai jamais perdu.»

À son tour, il pose son coude sur la caisse. Tu glisses ta main dans la sienne. Sa main est si grosse qu'elle enveloppe complètement la tienne.

«GO!» hurle-t-il.

Tout de suite J.M. rabat ton bras vers la caisse. Tu canalises toutes tes forces et ton bras stoppe à un angle de quarante-cinq degrés. De grosses gouttes de sueur se mettent tout de suite à perler sur ton front. Tu essaies désespérément de le renverser, mais J.M. te fait un sourire et couche complètement ton bras sur la caisse.

VLAN!
Tes joues s'empourprent... TU AS PERDU!

Va au chapitre 91.

Tu as choisi la bouteille contenant de petites pilules bleues, car elles ressemblent aux vitamines que

ta mère te donne tous les matins avant que tu partes pour l'école.

La douleur devient insoutenable. Tu sens ton corps changer. Une douloureuse crampe d'estomac t'oblige à te plier en deux.

Marjorie t'arrache la bouteille des mains, dévisse le bouchon et verse plusieurs comprimés dans le creux de sa main qu'elle te tend; tu te redresses...

Mais il est trop tard, tu ne peux plus avaler le remède car... TU N'AS PLUS DE BOUCHE! Tu as commencé à muer...

Comment veux-tu crier maintenant...

FIN

58

Vous courez le plus rapidement possible. Au bout d'une rangée de monticules, vous êtes malheureusement arrêtés par quatre fourmis. Vous vous jetez directement dans une des ouvertures de leur nid.

Les insectes vous poursuivent. Rapide, une fourmi réussit à attraper la jambe de Marjorie. Les mandibules de la bestiole sont si fortes qu'elles écrasent le métal de son armure. Le visage de Marjorie se crispe de douleur. Jean-Christophe dégaine son épée et se porte à son secours. Il se retourne et coupe les antennes de la fourmi.

TCHAC!

Désorienté, l'insecte se frappe la tête un peu partout sur les parois du tunnel.

Plus loin, vous arrivez enfin dans une galerie. Une odeur d'œufs pourris, ou plutôt de cocon pourri y flotte, mais au moins, le plafond est assez haut pour que vous puissiez demeurer debouts. Derrière un rideau de filament blanc semblable à du coton, une grande silhouette se dessine. C'est une fourmi au moins dix fois plus grande que toutes les autres, et elle possède de longues ailes... C'EST LA REINE!

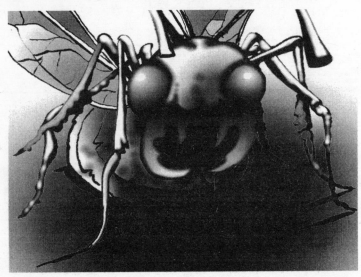

Il n'y a pas que les fourmis qui soient rouges, toi aussi tu es rouge... DE HONTE! Il faut dire que c'est bien gênant de succomber à un livre...

FIN

Arrivée à la sortie de l'entrepôt, Marjorie tire la langue au génie qui rit toujours.

Vous réussissez à monter jusqu'au rez-de-chaussée, où un plancher luisant vous attend. Vous vous arrêtez, frappés de stupeur par le froid polaire. Tu te penches et poses la main sur le sol... C'EST DE LA GLACE!

Vous faites un pas en avant en vous serrant l'un contre l'autre pour ne pas tomber. Avec mille précautions, vous avancez centimètre par centimètre en contournant les pièces de machinerie jusqu'au centre de la grande salle. Marjorie lève vite la tête pour voir où est la sortie... TROP VITE! Elle fait perdre pied à Jean-Christophe, qui en s'accrochant à toi t'oblige à faire du surplace, de sorte que vous vous ramassez tous les trois sur le derrière dans un grand fracas.

BANG!

Lentement, vous glissez tous les trois jusqu'à votre point de départ.

SHHHHHHHHHH!

«Ça valait bien la peine!» dis-tu sur un ton sarcastique.

Vous vous relevez au chapitre 23.

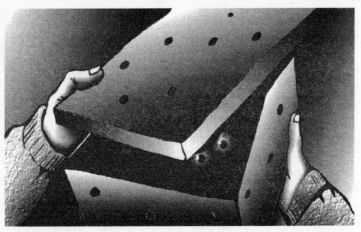

Tu t'empares de la boîte et tu soulèves le couvercle. Deux petits yeux rouges brillant comme de minuscules lumières t'observent. Tu souffles dans la boîte pour dissiper la fumée. Pendant un moment, tu ne peux pas dire un seul mot. Le hamster n'a plus rien du joli petit animal blanc et noir qu'il était. Quelque chose d'étrange s'est produit. Il s'est mué en une substance verte et gélatineuse qui se tortille au fond de la boîte.

Dégoutté, tu tends les bras pour l'éloigner de ton visage.

Mais avant que tu puisses déposer la boîte sur le plancher, le petit mutant sort la tête, et **CROC!** te mord un doigt...

«AIE!» t'écries-tu en la laissant tomber.

Le petit monstre bondit et se met à ramper en

direction des jumelles qui s'époumonent d'horreur.

AAAAAAAAAAAHH! IIIIIH!

Jean-Christophe et Marjorie réussissent à chasser à coups de pieds le petit monstre gluant qui s'enfuit dans les égouts.

Tout à coup, tu te sens bizarre. Des picotements te traversent tout le corps. La morsure du petit monstre était certainement vénéneuse. Les grosses gouttes de sueur qui coulent sur ton front te le confirment...

«L'USINE DE RECYCLAGE GRUBER! songe Molly.

— OUI! continue sa jumelle. Vous trouverez sûrement un antidote ou un remède quelconque. Après tout, la substance qui a transformé Cricri en espèce de bloub dangereux provient des labos de cette usine.»

Cherche le chapitre 89. VITE! Le temps presse...

«D'accord! lui réponds-tu. Je vais te prendre au mot. Je souhaite, pour mon premier vœu, QUE TU DÉGAGES LE PLANCHER...

— Comme vous le voudrez... maître», acquiesce le génie. Et d'un geste de la tête, il fait disparaître le sol sous vos pieds.

Vous tombez et tombez...

Les minutes se succèdent, puis les heures sans que rien ne se produise.

Au bout d'un moment, le génie réapparaît près de toi et t'offre d'exercer ton second souhait. Acceptes-tu?

Si oui, va au chapitre 85.

Si, par contre, tu as peur qu'il vous envoie dans un endroit encore pire que celui-ci, rends-toi au chapitre 33.

62

Vous êtes tous les trois revenus à la fabrique de jouets de monsieur Tong. Même si vous avez failli y rester, vous avez mérité la chance de piger une carte d'indice.

Tu prends la carte sur le dessus du paquet : vous étiez près de votre fin, vous étiez près de... LA FIN! Tu la remets sous le paquet et tu lances à nouveau les dés. Huit, encore une fois; t'as de la veine...

Tu avances ton pion jusqu'à la case constituée de flèches pointant dans toutes les directions. Tu peux non seulement choisir la direction à prendre, mais aussi la distance à parcourir.

Rends-toi au chapitre 11, où se trouve le jeu Mons-tropoly, afin de choisir la case sur laquelle tu veux dé-placer ton pion.

63

Elle est verrouillée et il n'y a aucun moyen de l'ouvrir... VOUS ÊTES PRIS DANS L'OUBLIETTE!

Cet endroit où vous êtes condamnés à demeurer à perpétuité porte très bien son nom. En effet, dans très peu de temps on vous aura complètement oubliés. Vous-mêmes, vous oublierez les raisons qui vous ont conduits ici. Vous oublierez aussi le nom de ce professeur qui vous donnait des travaux interminables à la maison. Tu oublieras le nom de tes amis... ET MÊME TON PROPRE NOM!

Ah oui, j'allais oublier : pour vous, c'est malheureusement la...

FIN

64

Les deux hommes de Cro-Magnon t'arrêtent. Tu essaies de leur expliquer, par des dessins sur le sable et des gestes, qu'un génie, sorti d'un jeu bizarre, vous a projetés dans le passé. Et que la seule chose que vous voulez c'est de rentrer chez vous. Mais vos simagrées n'amusent pas du tout les trois hommes préhistoriques qui grognent d'impatience.

REU! REU! REUU!

Attachés tous les trois ensemble avec une grosse corde de chanvre, vous êtes traînés jusqu'au centre du village où vous êtes offerts aux enchères à toute la tribu. Vous devenez esclaves d'un riche éleveur qui paie le prix fort pour vous avoir : un assortiment complet d'outils en silex...

«Esclave d'un éleveur, ça veut dire s'occuper de son bétail, te dis-tu. Dans le fond, ça pourrait être pire...»

Mais lorsque tu te rends compte que cet éleveur possède... UN TROUPEAU D'ÉNORMES MAMMOUTHS, tu te dis que tu n'avais aucune raison de te plaindre lorsque ta mère te faisait ramasser les crottes de Zelda, votre Yorkshire, dans la cour.

FIN

Dans quelques instants, les torches finiront de se consumer, et le couloir deviendra aussi noir qu'un four. À l'embranchement des deux passages, vous remarquez une pancarte qui indique : ARMURERIE et FOSSE AUX LIONS. Malheureusement, les flèches montrant les directions se sont effacées au fil du temps. Observe bien les détails de cette illustration, peut-être réussiras-tu quand même à trouver de quel

côté se trouve l'armurerie.

Si tu crois qu'elle se trouve dans le couloir de gauche, rends-toi au chapitre 54.

Si tu penses que vous devriez allez vers la droite, va au chapitre 6.

Tu te pinces la joue et tu pointes du doigt l'un des buissons qui bougent lentement sur l'eau.

Jean-Christophe et Marjorie savent que pour les Téméraires, se pincer la joue est le signe d'un danger.

Tandis que vous reculez d'un pas, la créature plonge **SPLOUCH!** et disparaît sous l'eau. Vous la cherchez nerveusement de tous les côtés... S'est-elle enfuie? NON! Car tu sens tout à coup l'eau bouger à tes côtés. Tu regardes, des bulles d'air s'élèvent jusqu'à la surface. Vous foncez vers la rive, mais la créature émerge derrière vous et vous bloque le passage.

SWOUCH!

Elle se tient devant toi en te dévorant des yeux. L'eau ruisselle sur son corps visqueux, tout couvert d'algues et de sangsues. Du sang dégouline de sa gueule béante. Soudain, elle lève les bras et pointe ses mains palmées vers vous, et dans un rugissement terrifiant *GRRRRRRRR!* elle se jette sur toi...

Tu fais un bond en arrière. Tu réussis à éviter l'assaut, mais tu entres en collision avec Marjorie. AIE! Vous vous retrouvez tous les deux dans l'eau jusqu'au cou. Le monstre disparaît à nouveau dans les profondeurs en hurlant.

GROOOUUU!

Jean-Christophe vous aide à vous relever. Vous réussissez à vous rendre jusqu'à une échelle qui monte dans un gros arbre généreusement feuillu, au chapitre 72.

67

Te voilà donc débarrassé du chat noir...

Sautant d'un toit de maison à l'autre, tu arrives au bout de la ruelle. Tu descends facilement le mur de

grosses pierres des champs jusqu'à la rue.

Tu tentes de traverser la rue, mais un camion de livraison arrive en trombe, et tu dois rebrousser chemin. Tu fais une seconde tentative, même chose... Sauf que cette fois-ci c'est une voiture. Il y a beaucoup trop de circulation.

Au coin de la rue, tu aperçois une bouche d'égout. Tu décides de l'emprunter sachant bien qu'il n'y a que là qu'un rat est en sécurité. Tu passes d'un tunnel à l'autre, jusqu'à la rue de la fabrique. Tu entres, descends les marches, et ce n'est qu'une fois réinstallé devant le jeu que tu constates que tu as repris une forme humaine.

«Mais où étais-tu? te demande Jean-Christophe.

— Trop long à expliquer, lui réponds-tu, essoufflé. C'est à qui de jouer?

— MOI!» répond Marjorie en lançant à son tour les dés.

QUATRE!

Elle pousse son pion jusqu'au chapitre 16, où se trouve la case rouge, et elle prend une carte...

68

Ta main traverse lentement le mur, ensuite ton bras, puis ton épaule. Toi qui avais peur de le faire et qui pensais que ce serait douloureux; passer au travers d'un mur quand on est un fantôme, ça chatouille un peu, c'est tout.

Quelques murs et quelques planchers plus loin, vous êtes de retour à l'entrepôt devant le jeu Monstropoly.

«Ah ! si pour quelque temps, je pouvais rester un fantôme, je pourrais effrayer les gens; déplacer des objets; faire tourner vite vite les aiguilles des horloges; changer la chaîne du poste de télé...

— C'est trop dangereux de jouer les fantômes et de hanter les vivants quand t'es pas vraiment mort, dit la revenante. Nous les fantômes, nous aimons nous aussi jouer à cache-cache dans la fabrique.

— Des fantômes qui jouent à cache-cache?! dit Marjorie, toute surprise.

— Bon, ce n'est pas que vous êtes ennuyants à mourir, mais il faut que j'y aille! se rappelle la petite revenante. Nous sommes au beau milieu d'une partie et il faut que je trouve la cachette des jumeaux Ballard : ils ne sont pas faciles à trouver, ces deux-là! Soyez prudents avec ce jeu», ajoute-t-elle en disparaissant par le plafond.

Tu t'accroupis et tu lances à nouveau les dés : encore huit. Tu avances ton pion jusqu'à la fameuse case constituée de flèches pointant toutes les directions. Tu peux encore une fois choisir la direction à prendre, mais aussi la distance à parcourir.

Rends-toi au chapitre 11, où se trouve le jeu Monstropoly, afin de choisir la case sur laquelle tu veux déplacer ton pion.

69

«EH BIEN, LÀ, BRAVO! gronde son frère en furie. Tu ne vois pas plus loin que le bout de ton nez...

— T'ES FOLLE! t'exclames-tu à ton tour. Il nous aurait fourni des indices précieux qui nous auraient aidés à sauver Audrey. À cause de tes conneries, nos chances de réussir sont maintenant quasi nulles...

— Vous n'avez rien compris! réplique Marjorie. Il nous aurait fait faire ses emplettes, comme ça, sans arrêt, jusqu'à Noël peut-être. Je ne suis pas intéressée à faire ses courses. Et puis, on n'a pas besoin de lui pour finir la partie...

— Puisque t'es si brillante, dis-tu, tu dois certainement avoir une idée géniale maintenant.

— OUI! Je m'improvise MAÎTRESSE DU JEU! s'exclame-t-elle, les bras croisés. Et je dis que nous avons assez perdu de temps. Je dis aussi que tu dois recommencer ton coup...VOILÀ!»

Retourne au chapitre 11 et choisis une autre case...

70

Tu t'es mis un doigt dans l'œil, car malheureusement, il ne s'agit pas du passage secret...

Tandis que vous attendez bien sagement, une lourde porte s'ouvre et fait grincer ses gonds.

CRIIIIIIIII!

Un petite silhouette s'amène, entourée de gardes. La geôlière, toute vêtue de cuir noir, porte à sa ceinture un grand anneau rempli de clés. Elle se plante devant ta cellule...

Tu lèves la tête et tu bondis sur tes pieds.

«AUDREY! cries-tu, le visage souriant.

— SILENCE! hurle-t-elle, les yeux écarquillés par la colère. Ici, dans mes cachots, les prisonniers n'ont pas le droit de parole.

— Mais...», commence Jean-Christophe.

Les mots n'ont pas le temps de se former sur ses lèvres que sur un simple geste d'Audrey, les gardes le saisissent et le bâillonnent.

Pris de désespoir, tu essaies de la raisonner, mais c'est peine perdue : votre amie n'est plus la même. Elle ne prête aucune attention à tes propos.

«Dis-moi où tu nous conduis, au moins?» finis-tu par lui demander. Mais avant qu'elle daigne te répondre, tu obtiens la réponse : des rugissements de fauves se font entendre...

GROOOOOOUU! GROOUU!

C'est au bout de ce passage que va se terminer votre partie de cache-cache, dans la fosse aux... GENTILS MINOUS, JOLIS MINOUS!

FIN

Le sang bat rapidement à tes tempes.

La bille roule sur la couche de poussière et tombe directement... DANS LE TROU!

PLOUC!

Éberlués, J.M. et Prout regardent le trou pendant que Jean-Christophe et Marjorie écarquillent les yeux d'étonnement.

J.M. se tourne vers toi et grommelle de colère. RRRRRR! Avec cette expression de fureur qu'il a sur son visage, tu te demandes bien s'il respectera sa promesse. Il te fixe des yeux, comme il le fait toujours lorsqu'il cherche la bagarre dans la cour de l'école, puis il te dit d'une voix grave :

«J'ai fait exprès, se défend-il, en haussant la tête. Ne vous en faites pas les torchons, on vous le laisse votre jeu idiot.»

Tu retiens un cri de joie lorsque tu les vois quitter l'entrepôt.

«C'est à mon tour!» dit tout de suite Marjorie en lançant les dés sur le plateau.

CLOC! CLOC! CLOC!

Elle pousse son pion et étire le cou pour lire ce qui est inscrit sur la case.

«OUF! souffle-t-elle. Je passe mon tour... J'ai eu peur. Je croyais être tombée sur la case qui dit que je dois manger des cadavres... POUAH!»

Jean-Christophe prend les dés, ferme les yeux et joue...

«Deux fois trois! lui annonces-tu. C'est un doublé...»

Pendant un moment, rien ne se passe puis, soudain, le nez de Jean-Christophe double de volume...

«AAAH! hurle-t-il, horrifié. QU'EST-CE QUI M'ARRIVE?

— SAPRISTI! TON NEZ... dit Marjorie, il est devenu tout gros...

— FOUTU JEU! bredouille Jean-Christophe, tout attristé.

— T'en fais pas! le consoles-tu. Nous allons gagner cette partie et tout redeviendra comme avant...»

Tu lances les dés à ton tour... TROIS!

Retourne au chapitre 11 et choisis une case...

72

Tu attrapes le premier échelon et tu te hisses jusqu'à une plate-forme de bois vermoulu perchée haut dans l'arbre.

Pendant que tu reprends ton souffle, tu as soudain la curieuse impression d'être observé...

Tu te retournes...

Au bout d'une grosse branche, deux busards archi-maigres, la tête entre les épaules, te regardent

goulûment. Si ces grands oiseaux rapaces n'étaient pas aussi dangereux, tu poufferais de rire.

Jean-Christophe s'arme d'une branche cassée et les chasse. Les deux busards prennent leur envol et se mettent à tourner autour de vous comme des charognards. Sans aucun doute, ils s'attendent à déguster les restes de table du monstre des marécages.

Au moment où tu te penches vers l'échelle pour aider Marjorie à grimper, le monstre jaillit de l'eau et fonce tête première sous la plate-forme, qui bascule brusquement. **BANG!** Plusieurs planches cèdent et il se retrouve le corps coincé. À moitié suspendu dans le vide, il lance un terrible rugissement *GROOOOUUU!* et tend ses griffes vers toi...

VA-T-IL RÉUSSIR À T'ATTRAPER?

Pour le savoir, TOURNE LES PAGES DU DESTIN!

Si, par malheur, il réussit à t'attraper, rends-toi au chapitre 41 et attends-toi au pire.

Si tu es rapide et que tu réussis à l'esquiver, va vite au chapitre 75.

73

Tu tires le levier, et une rangée de briques glissent. Vous vous jetez dans l'ouverture. Vous descendez un long corridor et tournez à gauche. La poussière te fait éternuer.

ATCHOU!

Au bout, vous arrivez à un cul-de-sac. Tu poses les mains sur le mur et tu devines la présence de la sortie. Tu pousses sur la moulure et... **SHHHHHHH!** une petite trappe s'ouvre.

«SENSASS!» s'écrie Marjorie.

Vous vous retrouvez finalement dans le bureau de monsieur Tong, situé tout en haut de la tour de l'horloge de la fabrique. À part le tic tac régulier du mécanisme de l'horloge qui fonctionne toujours, l'endroit est lugubrement silencieux, et des araignées pendent des vieux meubles. Jean-Christophe s'assoit dans le grand fauteuil de cuir vert, prend ses grands airs et pose les pieds sur le pupitre comme font les P.D.G. des grandes sociétés. Une araignée glisse sur son filin et va se dandiner juste au bout de son nez. Surpris, il tombe à la renverse.

BANG!

Marjorie se tord de rire, puis s'arrête subitement lorsqu'elle entend les hurlements de Zardon.

OOUUUUU! OOOUU!

«Nous sommes à l'abri ici, te rassure la jolie revenante. Zardon ne connaît pas cet endroit.

— Ce n'est pas Zardon qui m'inquiète, gémis-tu en lui montrant la douzaine de pantins, au regard froid et perdu, assis au fond du grand divan de velours.

— C'est curieux, réfléchit le plus grand revenant. Nous sommes souvent venus jouer ici, et je ne les ai jamais remarqués...»

Observe bien cette illustration, puis rends-toi au chapitre 19.

74

Tu tires sur la trappe qui conduit à la cave, et vous dévalez en catastrophe, l'escalier aux planches branlantes. En bas, ton pied glisse sur le sol de terre battue, et tu te ramasses à plat ventre, le visage dans la poussière.

Les trois gamins sautent dans l'ouverture et atterrissent juste devant toi. Paralysé par la peur, tu ne peux même pas te lever ou ramper.

Jean-Christophe et Marjorie s'éloignent de toi...

EN RIANT! Pourquoi ne viennent-ils pas à ton aide? Pourquoi rient-ils? Tu fais partie de la bande des Téméraires, ils sont supposés t'aider. Tu ne comprends rien...

Tu tournes la tête vers la gamine maniaque qui avance vers toi en ricanant. HI! HI! HI! Elle place sa tronçonneuse juste au-dessus de ton menton. *VRRR! VRRRRRR!* Tu fermes les yeux et tu attends la fin...

Elle ouvre la bouche et crie à ton grand étonnement...

«SURPRISE!»

Les lumières s'allument, et tous tes amis du quartier apparaissent, flûte au bec et chapeau en forme de cornet sur la tête. Tous ensemble ils crient : BONNE FÊTE! en te couvrant de serpentins de papier.

Jean-Christophe et Marjorie se penchent vers toi et t'aident à te relever. Tes parents sont là ainsi que tous tes copains et copines de classe. En fait tout le monde est venu à ta fête.

Tu regardes éberlué les guirlandes, les ballons multicolores et le gros gâteau au chocolat portant ton nom avec l'inscription : BONNE FÊTE, NOUS T'AIMONS...

TU T'ÉVANOUIS!

ALLEZ CHERCHER DE L'EAU, QUELQU'UN!

FIN

Tu recules rapidement, ses griffes meurtrières frappent dans le vide plusieurs fois, mais finissent par se planter dans ton chandail. Tu t'agrippes à l'arbre...

Le monstre hurle et te tire vers lui.

HYYAARGG!

Jean-Christophe aperçoit la précieuse corne qui trône juste au milieu de la tête du monstre. Il écarte les jambes, prend la branche comme on tient un bâton de baseball et s'élance...

CRAC! La corne, arrachée, vole en l'air. Marjorie saute au tout dernier moment et l'attrape agilement. QUEL ATTRAPÉ! Elle lève le bras et, jubilante, l'agite en signe de victoire...

Dans un gémissement, le monstre du marécage relâche son étreinte d'un coup sec, et tu te ramasses sur le derrière. Les ombres des busards, qui sont sur le point de fondre sur vous, passent au-dessus de vos têtes.

«IL FAUT QUITTER CET ENDROIT AU PLUS VITE!» hurles-tu à tes amis.

Vous dégringolez l'échelle et traversez les marécages jusqu'à l'arrêt d'autobus de la rue Rouge-sang. Heureusement pour vous, le chauffeur vous accepte à bord, malgré vos vêtements sales et vos billets mouillés. Vous traversez ainsi la ville jusqu'à la fabrique.

«C'est très bien! vous complimente le maître du jeu lorsque vous lui remettez la corne. Maintenant, votre deuxième mission consiste à...»

Zardon n'a pas le temps de terminer sa phrase que Marjorie s'emporte :

«STOP! QUELLE DEUXIÈME MISSION? crie-t-elle, rouge de colère. Nous avons rempli notre part du marché qui était de vous rapporter la corne. Nous avons risqué nos vies pour cette foutue corne. Tout à l'heure, il n'était pas question d'une deuxième mission...»

Moqueusement, Zardon sourit.

«HA! HA! HA! Vous vous êtes mis un doigt dans l'œil, s'exclame-t-il. JE SUIS LE MAÎTRE DU JEU! et je peux changer les règles à mon gré et quand bon me semble.

— Ah oui, un doigt dans l'œil, répète-t-elle en mettant tout de suite ses deux doigts dans les yeux de Zardon. TIENS FICHU MENTEUR!»

Son visage crispé de douleur devient transparent et se met à rapetisser, et des étincelles jaillissent de sa bouche grimaçante.

«JE VAIS ME VENGER! JE VAIS REVENIR VOUS HANTER POUR LE RESTE DE VOTRE VIIIIIIIIIIIIIIE!» hurle-t-il avant de disparaître complètement sous le tableau du jeu dans un grondement et un rugissement affreux.

BRRRRRRR! GRRRRRRRR!

Essuie ton front et va au chapitre 69.

OUI! tous les yeux méchants des pantins...
SONT MAINTENANT FIXÉS SUR VOUS!

«OH! OH! chuchotes-tu à tes amis. Est-ce le fruit de mon imagination ou bien ces pantins nous regardent-ils vraiment?

— T'as raison! te répond Jean-Christophe. J'pense qu'il vaut mieux sortir d'ici, et vite.

— Pas par le passage secret en tout cas, dit le fantôme grassouillet. Avec Zardon qui rôde à l'autre extrémité, c'est hors de question.

— Par où, alors? demandes-tu au plus grand fantôme. Il y a une autre façon de sortir?

— Peut-être, réfléchit-il, le doigt posé sur sa tempe. Ça dépend de l'heure qu'il est...

— Pourquoi? demande Marjorie. Papa fantôme ne vous permet pas de sortir à la noirceur?

— Mais non, s'exclame la revenante. Quand t'es un fantôme, t'as aucune permission à demander. Tu peux hanter dehors toute la nuit, se vante-t-elle, et rentrer à l'heure que tu veux.

— Nous pouvons sortir de la tour par l'horloge, poursuit le grand revenant. Derrière le douze, inscrit

en chiffres romains, il y a une porte que les horlogers empruntaient autrefois pour remettre les aiguilles à l'heure.

— Et alors? demande Marjorie.

— Eh bien s'il est minuit, continue d'expliquer le revenant, les deux aiguilles seront placées juste devant le chiffre douze et nous ne pourrons pas ouvrir la porte.»

Tu jettes rapidement un regard à ta montre.

«SANG DE VAMPIRE! t'écries-tu. Il sera minuit dans quinze minutes...»

Le grand revenant flotte jusqu'au plafond et ouvre une trappe. Une échelle escamotable apparaît et s'arrête à mi-chemin.

SCHLIC!

«C'est trop haut, dis-tu à la jolie revenante en sautillant sous le premier barreau. Nous n'y arriverons pas.

— Je vais t'aider, te dit-elle en tendant vers toi sa petite main bleutée. Ne perdons plus de temps.»

Tu plonges ta main dans celle de la revenante, et tu tournes les pages de ton Passepeur jusqu'au chapitre 79.

77

Tu remarques tout de suite en entrant que sur un des murs, en plus de retrouver les petites barres que tous les prisonniers gravent sur les pierres pour compter les jours qui leur restent, il a un curieux message. Tu réfléchis un peu, puis il devient clair dans ta tête que ce message parle d'un tunnel caché. Tu te dis que si tu réussis à comprendre ce qui est écrit, tu auras du même coup trouvé le numéro du chapitre de ce... PASSAGE SECRET!

Étudie bien cette illustration. Dois-tu aller au chapitre 24 ou au chapitre 70? Cherche bien...

78

«Mon dieu! murmure Marjorie en voyant ta bille s'arrêter près du trou. T'AS PERDU!»

J.M. vous chipe le jeu de Monstropoly et s'enfuit par l'escalier. Tu pars à sa poursuite. Prout se met dans ton chemin et t'oblige à t'arrêter. Tu ne peux rien faire contre lui, car il est trop fort, beaucoup trop fort...

Le lendemain matin, la nouvelle d'une découverte sensationnelle fait la une de tous les journaux du monde. Des millionnaires de partout accourent à Sombreville pour participer à la mise à l'encan d'un étrange jeu d'où apparaissent des fantômes et des monstres fantastiques. Les enchères grimpent et grimpent et atteignent cinq millions de dollars avant que le coup de marteau de l'antiquaire adjuge l'offre.

«**BANG!** Vendu...»

Ces brutes de J.M. et Prout sont devenus riches à craquer. Ils arrivent chaque jour en limousine blanche à l'école avec des vêtements neufs et très chics.

Toi, il ne te reste presque rien, sauf peut-être cette chose lourde et poussiéreuse que tu as rapportée de la fabrique. D'ailleurs ta mère se demande bien souvent pourquoi tu tiens tant à garder avec toi dans ta chambre cette statue de jeune fille qui pleurniche...

FIN

79

Aidés des fantômes, vous vous hissez jusqu'au sommet de la tour où se trouve le mouvement de l'horloge.

Avant de fermer la trappe, tu te rends compte que les pantins ne sont plus sur le divan, mais qu'ils se tiennent debouts, juste en dessous de toi sur le plancher, leurs petits bras de bois tendus vers toi comme s'ils cherchaient à t'attraper. Un frisson de terreur te parcourt l'échine. Tu refermes la trappe en te disant que ces petits êtres au visage diabolique viendront certainement hanter tes rêves un de ces soirs...

Vous marchez difficilement sur un arbre de rotation du mécanisme de l'horloge qui tourne lentement. Devant vous, deux dangereuses roues dentées s'engrènent l'une dans l'autre, prêtes à vous écrabouiller. Vous attendez le moment propice, puis vous sautez tous les trois adroitement entre deux dents et vous atterrissez debout sur un gros ressort tendu juste derrière la petite porte du chiffre douze de l'horloge. OUF!

«Vous n'avez qu'à descendre par ici, dit le grand fantôme en ouvrant la petite porte. Agrippez-vous à la pointe de la grande aiguille et attendez que minuit sonne. Au dernier coup, elle descendra lentement jusqu'au toit de la fabrique. Par la tabatière, vous pourrez emprunter l'escalier qui conduit à l'entrepôt.

— Ah oui! s'étonne Marjorie. Vous êtes certains que ça va fonctionner?

— Aussi sûr que deux hamburgers et deux frites font un bon repas, lui répond Gigot.

— À votre place, je quitterais cet endroit de malheur pendant qu'il en est encore temps, vous conseille Évelyne. Et je rentrerais chez moi.

— On ne peut pas partir sans notre amie, lui explique Marjorie. Il faut finir la partie de Monstropoly, si nous voulons la sauver... C'est obligé! Et puis nous sommes les Téméraires, ça ne se fait pas...

— Je comprends, dit-elle, les yeux tristes. On ne laisse jamais tomber une amie. Si ça peut vous aider, c'est dans le château que vous trouverez ce que vous cherchez, mes amis», ajoute-t-elle en disparaissant avec les deux autres...

Vous vous agrippez à deux mains à la grande aiguille. Le douzième coup résonne **DONG!** et vous descendez.

Prenez tout de suite l'escalier, et retournez au chapitre 11 où se trouve le jeu Monstropoly, afin de choisir une autre case sur laquelle tu veux poser ton pion.

80

Tu regardes la lame bien effilée du sorcier en souhaitant que tout ne soit, en fait, qu'un mauvais rêve.

Soudain, tu entends crier...

AAAAAAAAAAAHH!

Tu te lèves brusquement dans ton lit pour te rendre compte que tu es revenu dans ta chambre et que c'est ton propre hurlement qui t'a réveillé.

Juste comme tu t'apprêtes à te réjouir, un nuage se forme au-dessus de toi... C'EST LE GÉNIE!

«Je viens de t'accorder ton deuxième souhait, te dit-il avec un sourire moqueur. Fais maintenant ton troisième et dernier voeu.

— FICHE-MOI LA PAIX! cries-tu à tue-tête. JE NE VEUX PLUS TE VOIR...

— Plus me VOIR!!! répète le génie. Si c'est ce que tu souhaites», acquiesce-t-il en jetant quelques grains de poussière brillante sur ta tête.

...et tu te sens devenir peu à peu... AVEUGLE.

FIN

Quelques mètres plus loin, tes pieds entrent de plein fouet en contact avec la porte qui **BLAM!** s'ouvre en répandant de la glace partout.

Tu te relèves et arrives nez à nez avec un... GORILLE!

Des sueurs froides parcourent tout ton corps. La bête te pousse violemment du revers de sa grande main et agrippe avec férocité Marjorie et la porte sur son épaule pour s'enfuir avec elle. S'aidant des lianes, il va d'un arbre à l'autre et disparaît dans la jungle.

«Miséricorde! c'est quoi cette jungle? t'écries-tu en cherchant à comprendre ce qui se passe. Où sommes-nous? Ce n'est pas la rue de la fabrique, ça...

— LE GÉNIE DU JEU! s'exclame Jean-Christophe. Il se joue de nous. C'est lui qui a tout chamboulé autour de nous. Il ne nous lâchera pas tant et aussi longtemps que nous n'aurons pas formulé nos trois souhaits.

— Nous sommes vraiment dans de sales draps, soupires-tu, découragé. Ce génie nous prend pour ses jouets.

— Il faut retourner à l'entrepôt, tout de suite, te dit Jean-Christophe. Crois-moi, c'est la seule façon que nous ayons de sauver Audrey et Marjorie.»

Vous tournez tous les deux les talons, et vous retournez au chapitre 46.

82

Observe bien cette illustration et peut-être découvriras-tu ce qu'il cache derrière son dos.

Si tu crois qu'il ne cache qu'un simple... JOUET!, rends-toi au chapitre 48.

Si tu penses qu'il tient entre ses mains... UN COUTEAU DE BOUCHER!, va au chapitre 42.

83

Tu te mets à courir vers la sortie. Des bras de cadavres essaient de t'attraper. Près de la porte, tes pieds s'entrechoquent et tu tombes, entraînant dans ta chute Marjorie et Jean-Christophe.

BANG! BOUM!

Trois cadavres plongent vers vous, gueules béantes. Jean-Christophe attrape une civière et la lance dans l'allée, renversant les cadavres comme des quilles.

Vous réussissez facilement à distancer les autres. Vous descendez l'escalier en trombe, ouvrez la porte conduisant à la ruelle et arrivez face à face avec une camionnette bondée de savants en sarrau, coiffés de casques blancs.

«PRÉPAREZ-VOUS À ÊTRE RECYCLÉS! gronde le contremaître de l'usine. Vous allez voir ce que l'on fait des intrus. Lorsqu'on en aura fini avec vous... ON NE VOUS RECONNAÎTRA PLUS !»

FIN

84

Tu tournes la tête vers Marjorie au pied de la colline. Elle est entourée du chef de la tribu, de son fils et des autres membres du clan. Pour l'occasion,

ils ont revêtu leurs plus belles peaux et leurs plus belles fourrures.

«OH NON!» fait-elle tristement, en vous voyant réduits à l'impuissance.

Tu regardes le poignard du sorcier et tu comprends qu'elle n'a aucun moyen de vous aider. Tu fermes les yeux et tu te prépares au pire.

Soudain, alors que Marjorie envoie des regards doux à son frère Jean-Christophe, une pensée lui vient à l'esprit. Elle se rappelle que tantôt, lorsqu'elle attendait de jouer son tour, elle avait mis les dés du jeu Monstropoly dans sa poche.

Nerveuse, elle plonge sa main tremblante dans sa poche et sort les deux dés, et les montre aussitôt à son frère.

«OUI! LANCE-LES! crie-t-il du haut de la colline... C'EST NOTRE SEULE CHANCE.»

Sans plus attendre, elle jette sur le sol les deux petits cubes; ils roulent, puis s'arrêtent...

Le vent se met à souffler très fort, et un profond grondement secoue le sol.

GRRRRRRRRR!

Tu regardes ton corps devenir transparent et disparaître graduellement.

Vous vous rematérialisez au chapitre 45, de retour à votre époque.

«JE VEUX QUE TU NOUS RAMÈNES TOUT DE SUITE OÙ NOUS ÉTIONS! hurles-tu au génie qui fait aussitôt claquer ses doigts **CLAC!**

— Voilà! fait-il en écartant les bras. C'est pourtant simple. Vous êtes revenus tous les trois devant le jeu Monstropoly, prêts à continuer votre partie... Et ton troisième souhait, quel est-il?»

Tu poses un doigt sur ton nez et tu réfléchis...

«Peu importe ce que je lui demande, ça risque de mal tourner, te mets-tu à penser tout bas. Si je lui dis de faire qu'Audrey revienne comme elle était avant, il peut aussi bien la ramener à l'âge où elle ne marchait pas et où elle portait des couches, continues-tu de réfléchir. À moins que...

— Génie! t'exclames-tu, le visage illuminé par une idée, disons-le... GÉNIALE! Je voudrais que tu me montres la case du jeu qui m'aidera à terminer la partie de façon victorieuse.»

À contrecœur, le génie te pointe, avec son gros doigt crochu... LA CASE DU CHÂTEAU.

Est-ce un autre piège? À toi de le découvrir...

Reviens au chapitre 11.

Tu remballes ta moue d'hésitation et tu lances les dés.

CLOC! CLOC! CLOC!

«NEUF!» crie J.M.

Ton pion glisse de lui-même sur le jeu et s'arrête huit espaces plus loin sur la case verte.

Prout tape de joie dans ses mains et sourit.

«J'aime ce jeu! J'aime ce jeu! répète-t-il. Encore de la magie! Encore!»

J.M. étire son cou et lit l'inscription gravée sur la case verte.

«"Gluant ou rampant, tu seras pour toujours mou et dégoûtant." Je ne comprends pas ce que ça veut dire, ça doit être à mon tour de jouer...»

Il se tourne dans ta direction et remarque que ton visage verdit à vue d'œil.

Les yeux agrandis de terreur et les jambes en coton, il se lève en s'agrippant à son copain Prout, qui a les cheveux dressés sur la tête.

«Ou-oublie notre rendez-vous de jeu-jeudi, bafouille J.M. tout en courant vers la sortie. SANS RANCUNE!»

Tout se met soudain à trembler à l'intérieur de toi. Tu sens ton corps devenir flasque et aussi mou qu'une savonnette laissée des heures au fond d'une baignoire. Un drôle de liquide verdâtre coule partout sur ta peau.

TU ES DEVENU UN BLOUB! Un être gélatineux et difforme qui ne se nourrit que d'immondices qui poussent dans les fonds de poubelle... OUACHE!
FOUTU JEU...

FIN

87

Vos hurlements de terreur ont alerté le voisinage, et une escouade entière de policiers du poste situé à deux pâtés de maison s'amène et investit les marécages.

Même après avoir ratissé le quadrilatère pendant des heures, les policiers n'ont pas réussi à trouver la moindre trace de vos corps. Ils ont dû se rendre à l'évidence... Le mutant des marécages s'est chargé des Téméraires de l'horreur. Et les crocodiles, eux, accompagnés des sangsues, se sont chargés... DES RESTES!

FIN

88

Tu cours sur tes quatre petites pattes et tu réussis à te rendre au bout de la ruelle. Le chat noir se rapproche toujours de toi. Il balaie devant lui avec sa patte bien griffée et te frappe la queue. Tu roules sur le côté jusqu'au mur de brique d'une maison.

Le chat bondit sur toi dans un miaulement rageur.

ROOOOOUUUIIIIN!

Tu esquives l'assaut en sautant sur une marche de l'escalier, puis sur la rampe.

Les yeux du chat se durcissent encore plus.

Tu réussis à rejoindre le toit avec toujours à tes trousses le gros félin qui ne perd pas ta trace. Tu cours dans la gouttière jusqu'au bout de la corniche. Le chat est juste derrière toi. Tu voudrais bien sauter sur le toit de la maison voisine, mais la distance qui sépare les deux constructions est trop grande. T'as pas le choix, tu dois essayer de t'y rendre en traversant comme un funambule sur le fil du téléphone.

Tu réussis à t'éloigner en marchant doucement sur le fil. À mi-chemin, le câble du téléphone se met à tanguer de gauche à droite. Vas-tu réussir à garder ton équilibre? Réussiras-tu à traverser de l'autre côté?

Pour le savoir, rappelle-toi du numéro de ce chapitre et pose ton Passepeur debout devant toi.

Si tu réussis à compter jusqu'à dix avant que ton livre

tombe, eh bien, tu as réussi à traverser. Rends-toi au chapitre 67.

Si, par contre, ton Passepeur est tombé avant que tu aies fini de compter, c'est au chapitre 49 que t'entraîne malheureusement ta chute.

89

Tu arrives derrière un grand édifice morne fait de briques blanches.

Jean-Christophe te soutient pendant que Marjorie frappe plusieurs fois sur la double-porte, et elle sautille en agitant les bras devant une caméra de surveillance qui se balance de gauche à droite.

Les minutes passent sans que personne ne vienne vous répondre.

Finalement, Marjorie tourne la poignée, et la porte s'ouvre...

«Poils de loup-garou! s'étonne-t-elle. Ce n'est pas barré. Ils sont fous de laisser la porte ainsi ouverte avec tous ces produits dangereux. C'est vraiment imprudent, j'crois qu'on devrait les dénoncer.»

Vous entrez tout de suite, et vous arrivez rapidement face à une porte marquée : ATTENTION ! EXPÉRIENCE DANGEREUSE EN COURS.

«C'est bien celle qui conduit au laboratoire; on entre? demande-t-elle à son frère qui a le visage figé par une moue d'impatience.

— O.K. question stupide, se répond-elle à elle-même. On entre!»

Vous déambulez dans une allée. Autour de vous, il y a plusieurs tables d'opération sur lesquelles reposent des cadavres drapés.

«Qu'est-ce qui se passe ici? se demande bien Jean-Christophe. On recycle les cadavres ou quoi?»

Au fond, il y a plusieurs étagères dont une remplie de produits de toutes sortes.

Elle se trouve au chapitre 34.

90

Dans l'escalier, Gargouille gagne du terrain. Vous vous dépêchez de monter les marches deux par deux. Au troisième étage, une étrange fillette vous pousse à l'intérieur de l'ancienne remise du concierge.

«Qui es-tu? lui demandes-tu.

— CHUT!» fait-elle. Puis elle disparaît en passant au travers de la porte sans même l'ouvrir.

Vous vous regardez tous les trois, bouche bée. Et puis vous restez là, comme ça, de longues minutes sans bouger, éberlués.

Dans la cage de l'escalier, les bruits d'ailes ont cessé.

«Il faut sortir d'ici! s'exclame Jean-Christophe. Il y a quelque chose de vivant ici, qui grouille et qui bouge...»

Tu te penches, deux petits yeux verts te dévisagent... TU OUVRES LA PORTE ET VOUS SORTEZ!

C'est le chat noir qui t'a poursuivi tantôt alors que tu n'étais qu'un rat. Tu le dévisages et tu te demandes bien ce qui te retient de lui botter le derrière.

Dans la cage de l'escalier, tu te penches pour vérifier si la voie est libre. En bas, rien! En haut, OUUUAAAH! Tu arrives nez à nez avec la petite revenante...

«Venez vite! vous dit-elle. J'crois que Gargouille revient par ici.»

Et elle s'élance vers un mur... Tu l'arrêtes en criant :

«STOP! Tu es un fantôme, tu peux passer au travers des murs... PAS NOUS!

— Prenez ma main, vous dit-elle et vous le pourrez...»

Fais-lui confiance, prends-lui la main et va au chapitre 68.

Avant que vous n'ayez le temps de réagir, J.M. et Prout s'enfuient de la fabrique avec le jeu Monstropoly sous le bras. Dehors, vous essayez de les rattraper, mais c'est inutile; face à leurs scooters, vos vélos ne font pas le poids.

VROOOOUUUUUUM!

Quelques jours plus tard, vous retrouvez le jeu Monstropoly dans la vitrine de l'antiquaire René. Tu entres et tu tentes de lui expliquer que ce jeu vous a été volé et qu'il vous appartient. Mais l'antiquaire ne croit pas un traître mot de votre histoire.

«Si vous tenez absolument à partir avec ce jeu, vous dit René, impassible, vous devrez faire comme tout le monde... L'ACHETER! C'est un commerce ici, pas un kiosque d'objets perdus ou trouvés...»

Mais le prix est horriblement élevé. Même en mettant en commun le contenu de vos trois tirelires, c'est loin d'être suffisant.

Pour ramasser ce qu'il vous manque, vous devez travailler comme des fous à la maison : la vaisselle, l'aspirateur, le gazon... Vous allez jusqu'à faire des travaux domestiques pour madame Lalande, la vieille crevette, comme tout le voisinage l'appelle. Même si parfois elle vous paie avec des vieux biscuits, POUAH!

Deux semaines plus tard, après avoir réuni la somme, vous filez droit chez l'antiquaire. Tu n'as qu'une chose en tête : terminer la partie et sauver Audrey. Devant la vitrine, tes yeux s'agrandissent de terreur lorsque tu constates que le jeu n'y est plus. Tu entres en trombe.

«C'est pas de chance! s'exclame René, l'antiquaire. Un riche homme d'affaires me l'a acheté justement hier. Dommage... Mais j'ai peut-être quelque chose d'autre qui pourrait vous intéresser, les enfants. Par exemple, cette étrange statue de pierre : une petite fille qui pleure... DE VRAIES LARMES!»

FIN

92

«Qu'est-ce que vous nous avez dégoté-là, les torchons? vous demande J.M. en retrouvant sa voix rauque. Non, mais dites donc, c'est un très vieux truc, ça...

— OUAIS! réfléchit Prout, les yeux grand ouverts. On pourrait se faire un paquet d'argent chez l'antiquaire René avec ce joujou-là...

— NE TOUCHEZ PAS À CE JEU! s'écrie Jean-Christophe, en colère. Ça ne vous appartient pas.

— Tu vois, j'crois que tu as raté une belle

occasion de te taire, répond J.M. en te menaçant avec son poing. Car tu vas te ramasser avec un œil au beurre noir.»

J.M. tend la main à Prout, qui lui remet tout de suite son fameux carnet des raclées. Il se met à feuilleter rapidement les pages, puis il s'arrête sur une.

«Jeudi, quinze heures, je suis libre, tout de suite après l'école, fait-il en inscrivant le tout avec son pousse-mine. Que ça te convienne ou pas, ton rendez-vous est fixé.

— Ça ne se passera pas comme ça, fulmine Marjorie entre ses dents.

— GNA! GNA! GNA! se moque-t-il en écrasant sa cigarette contre le mur. Arrête de pleurnicher! Je vais vous donner une dernière chance de garder votre vieux truc. Nous allons faire un jeu... ET JE VOUS LAISSE CHOISIR LEQUEL.»

Contre J.M., si tu veux faire...

une partie de billes, rends-toi au chapitre 94;
un bras de fer, dans ce cas va au chapitre 56;
une partie de MONSTROPOLY? rends-toi alors au chapitre 86.

Tous les deux, vous reculez en tremblant.

Doucement, le dragon ouvre les yeux. Puis, comme un gros mollasson, il s'étire les membres pour se délier les gros muscles. Ses orteils s'écartent, et Marjorie court vous rejoindre.

Le dragon plonge sa main crochue dans sa bouche pour enlever un truc blanc pris entre ses dents : une espadrille appartenant à Audrey!

Il se lève et disparaît entre les arbres de la forêt. Tu te baisses pour éviter sa longue queue qui fait trois fois la longueur de la camionnette de ton père.

Tu te penches pour ramasser le soulier de course à moitié déchiqueté.

«Préparez les bougies et le gâteau, grognes-tu. Ça va être sa fête...»

La rage au cœur, vous poursuivez le monstre, car vous avez maintenant une fichue bonne raison de l'anéantir.

Le monstre entre encore plus profondément dans la forêt et se rend jusqu'à une rivière pour boire. Ensuite, il traverse le cours d'eau pour se terrer dans sa grotte. Vous devez laisser vos armures, car il est impossible de nager avec tout ce métal sur le dos.

Armes à la main, vous entrez dans son repaire. Des centaines de squelettes blanchis jonchent le sol. Mais ça ne vous repousse pas, au contraire, tu ne désires qu'une chose... L'EXTERMINER!

Au fond de la grotte, tu es tout surpris et heureux de voir qu'Audrey est toujours vivante. Oui, elle est bien là, emprisonnée dans une cage. Toute maquillée, les lèvres rubis, coiffée d'une couronne dorée constellée de pierreries, elle a vraiment des allures de princesse. Avec seulement une espadrille dans le pied...

«Je n'avais jamais remarqué auparavant qu'elle était si belle», soupire Jean-Christophe...

Il faut la délivrer! Mais avant que vous ayez le temps de faire quoi que ce soit... LE DRAGON SE JETTE DEVANT VOUS!

Si tu crois avoir ce qu'il faut pour terminer cette aventure, rends-toi au chapitre 95.

94

«D'accord, tu crois vraiment pouvoir me battre aux billes?» accepte J.M. en mastiquant bruyamment une gomme à mâcher.

GNACK!

Il pose un genou sur le sol et sort de sa poche une bille rouge.

«Tu vois le trou qui se trouve là-bas, tout au fond de l'entrepôt, montre-t-il du doigt. Il s'agit d'envoyer la bille le plus près possible, ou directement dedans, si t'es capable. Mais ça, j'en doute.»

Il enroule son index autour de la bille et avec un coup vif de son pouce, il l'expédie à l'autre bout de l'entrepôt. La bille roule, percute le mur et s'arrête juste au bord du trou. J.M. renverse la tête en arrière et éclate d'un rire démoniaque, fier de son coup.

HA! HA! HA! HA!

«La seule façon de faire mieux que moi, c'est de la lancer en plein dedans, te nargue-t-il. Va chercher la bille et essaie à ton tour. VAS-Y! te presse-t-il sèchement. Si tu réussis, nous vous laisserons jouer à votre jeu idiot...»

Maintenant TOURNE LES PAGES DU DESTIN et vise bien...

Si tu réussis à lancer la bille en plein dans le trou, c'est gagné! Rends-toi au chapitre 71.

Si, par contre, tu manques ton coup... DOM-MAGE! C'était pourtant une aventure qui commençait bien! Va alors au chapitre 78.

95

Juste au moment où tu t'apprêtes à frapper le dragon, ton arme disparaît et les dés du jeu Monstropoly se matérialisent entre tes mains.

Sans armure et désarmé, tu observes, impuissant, le dragon qui prend une très grande inspiration. Tu aimerais bien prendre tes jambes à ton cou, mais tu sais qu'il est trop tard et que tu vas griller comme une saucisse dans un poêlon. Tu regardes, d'une mine déconfite, les deux dés au fond de ta main droite qui n'arrêtent pas de te faire des clins d'œil, jusqu'à ce que tu comprennes que... C'EST À TON TOUR DE JOUER!

Tu sers le poing très fort et tu lances les dés en direction du gros ventre écailleux du dragon qui s'apprête à te souffler au visage toutes les flammes de son estomac ardent. Les deux dés frappent de plein fouet son gros bedon vert et tombent sur le sol, juste devant lui. Le dragon s'immobilise et penche son horrible tête vers les deux petits cubes blancs... DOUBLE SIX!

Autour de toi, tout se met subitement à tourner. Tu ne peux détacher ton regard du dragon qui se met à rapetisser de plus en plus et à changer de forme. Plusieurs tornades de poussières virevoltent dans les airs. Le dragon s'est transformé en petit homme au cheveux noirs portant une paire de lunettes... C'EST MONSIEUR TONG!

Vous êtes tour à tour soulevés et ramenés sous des éclairs et sous un coup de tonnerre assourdissant **BRAAAOOOUUMM!** dans le sous-sol de la fabrique...

La fumée et la poussière se dissipent. Vous êtes tous les quatre agenouillés devant le jeu. Monsieur Tong est debout, tout près de vous, sain et sauf.

Audrey secoue légèrement la tête et recouvre tranquillement ses esprits. Les yeux brillants, elle semble fraîche comme une rose. C'est incroyable, elle ne s'est rendu compte de rien!

Le sort est conjuré...

Elle prend alors les dés et se met à les brasser entre ses petites mains fermées l'une sur l'autre, puis elle s'exclame en souriant bien innocemment :

«Alors les amis!.. ON FAIT UNE AUTRE PARTIE?»

FÉLICITATIONS!
Tu as réussi à terminer...
Monstropoly.

UN MOT SUR L'AUTEUR

Dès sa plus tendre enfance, Richard Petit se passionne déjà pour les histoires d'épouvante. À l'âge de 12 ans, il réalise un film d'horreur avec ses amis. Une cape de vampire dans le placard, un cercueil de carton dans le garage, une caisse de fausses toiles d'araignées, et la maison de campagne se transforme soudain en château lugubre. Même si tout cela n'est que du cinéma amateur, pour son entourage, cela semble beaucoup trop réel.

Même aujourd'hui, il n'a pas changé. Alors imaginez, lorsque l'occasion s'offre à lui de créer ses propres histoires, avec ses propres images, il s'en empare comme le ferait un loup-garou de sa victime, un soir de pleine lune.

Des aventures débordantes d'action, des intrigues palpitantes qui se développent au gré de l'interaction des lecteurs et lectrices de tout âge, voilà ce que vous propose ce passionné qui a su garder son coeur d'enfant.

Richard Petit est né à Montréal, en 1958.

COCHE ICI LES LIVRES DE TA COLLECTION PASSEPEUR

NE MANQUE PAS LES DEUX PROCHAINES AVENTURES :

T'AS PAS LA TROUILLE?
ALORS AIMERAIS-TU DEVENIR LA PROCHAINE VICTIME D'UN MONSTRE SUR LA COUVERTURE D'UN PASSEPEUR?

VOILÀ TA CHANCE!

C'est très facile! Trop facile, même. Tu n'as qu'à nous retourner ce coupon de participation dûment rempli accompagné d'une photographie couleur récente de toi et d'une illustration d'**horreur**. Si tu es choisi par les membres du jury, ton visage crispé de frayeur apparaîtra sur un des prochains titres de la collection Passepeur.

Nom :	
Prénom :	Âge :
Adresse/ app. :	
Ville :	
Province :	
Code postal :	
Téléphone : ( )	

Règlements du concours au verso.

Chaque participant doit retourner à l'adresse suivante :

Les presses d'or
STAR D'UN PASSEPEUR
7875, Louis-H.-Lafontaine
Bureau 105
Anjou (Québec)
Canada
H1K 4E4

le coupon correctement rempli ainsi que sa photo couleur. Le concours s'adresse à tous les jeunes. Aucune rémunération ne sera attribuée à la «STAR» qui aura la chance de figurer sur un Passepeur (avec l'autorisation écrite de ses parents, bien sûr). Les membres du jury accepteront les inscriptions jusqu'au 30 juin 1999 à 0 h 00. Il est possible de se procurer les règlements complets du concours, en écrivant à l'adresse mentionnée ci-dessus.

L'auteur, Richard Petit, souhaite la meilleure des chances à tous.